Le journal d'Aurélie Laflamme, Un été chez ma grand-mère

tome 3

De la même auteure

Le journal d'Aurélie Laflamme, Extraterrestre… ou presque !, Les Éditions des Intouchables, 2006.

Le journal d'Aurélie Laflamme, Sur le point de craquer !, Les Éditions des Intouchables, 2006.

Les aventures d'India Jones, Les Éditions des Intouchables, 2005.

India Desjardins

Le journal d'Aurélie Laflamme

Un été chez ma grand-mère

Les Éditions des Intouchables bénéficient du soutien financier de la SODEC, du Programme de crédits d'impôt du gouvernement du Québec et sont inscrites au Programme de subvention globale du Conseil des Arts du Canada.

Nous reconnaissons l'aide financière du gouvernement du Canada par l'entremise du Programme d'aide au développement de l'industrie de l'édition (PADIÉ) pour nos activités d'édition.

LES ÉDITIONS DES INTOUCHABLES
816, rue Rachel Est
Montréal, Québec
H2J 2H6
Téléphone : 514 526-0770
Télécopieur : 514 529-7780
www.lesintouchables.com

DISTRIBUTION : PROLOGUE
1650, boulevard Lionel-Bertrand
Boisbriand, Québec
J7H 1N7
Téléphone : 450 434-0306
Télécopieur : 450 434-2627

Impression : Transcontinental
Conception et illustration de la couverture : Josée Tellier
Illustrations intérieures : Josée Tellier
Infographie : Geneviève Nadeau
Photographie de l'auteure : Patrice Bériault

Dépôt légal : 2007
Bibliothèque et Archives nationales du Québec
Bibliothèque nationale du Canada

ISBN-10 : 2-89549-274-3
ISBN-13 : 978-2-89549-274-0

À Jeanne et Marie-Anne,
mes grands-mamans

Merci à :

Simon.

Maman, Gi, Papa, Jean et Patricia.

Mélanie Robichaud, Mélanie Beaudoin, Maude Vachon, Nathalie Slight, Judith Ritchie, Nadine Bismuth, Michelle-Andrée Hogue, Isabelle Gosselin, Julie Blackburn et Emily Brunton.

Pascal Blanchet (qui m'a convaincue un jour de ne pas travailler dans une usine de saucisses).

Michel Brûlé, Ingrid Remazeilles, Élyse-Andrée Héroux et Geneviève Nadeau.

Josée Tellier (x 1000).

Caroline Allard.

Stefan Brind'amour.

Alexandra Côté-Durrer.

Annie Talbot et Caroline Paquin.

Mai

Laisser retomber la poussière

Dimanche 7 mai

Bonjour, je m'appelle Aurélie Laflamme, j'ai quatorze ans, bientôt quinze, et je suis une chocoolique.

J'ai cherché dans le dictionnaire, et ce mot n'existe pas. Le fait de devoir inventer un mot pour me définir constitue la cent millième preuve que la race humaine et moi, ça fait deux.

Je me suis récemment découvert une passion sans borne pour le chocolat. Pas que je n'aimais pas ça avant. J'aimais ça. Mais depuis quelque temps, ça dépasse l'explication rationnelle. Et manger du chocolat est devenu une de mes nouvelles, disons, habitudes (c'est peut-être aussi une dépendance et/ou une obsession).

C'est la faute de la fête de Pâques, aussi ! Il y a du chocolat partout. Et on en reçoit plein (jamais trop) en cadeau. Le chocolat (et peut-être aussi un peu les lapins, dans le cas précis de la fête de Pâques) a une grande importance dans notre société (et dans mon estomac, surtout – pas les lapins, le chocolat). Mmmm… le chocolat, c'est tellement bon. Et ce n'est pas dans mon estomac que je l'aime le plus. C'est lorsqu'il est dans ma bouche, juste avant de l'avaler. Je n'ai qu'à me passer un bout de chocolat sous le nez et j'oublie tous mes soucis. Je me perds dans l'odeur de chocolat qui emplit mes narines. Qu'est-ce que ça sent ? Je ne peux le décrire. C'est une odeur unique. Celle du choooocoooolaaaaaat. Et lorsque je l'ai bien senti (jusqu'au point où il n'émet plus aucune odeur), je le goûte et ohhhh, c'est l'extase totale. J'ai l'impression que mes papilles gustatives dansent sur ma langue. J'ai l'impression que mes papilles gustatives ont de petits bras qu'elles gigotent dans les airs et qu'elles crient : « Encore, encore, encooooooore ! »

15 h 32

Humaniser mes papilles gustatives me perturbe un peu. Surtout que je n'arrive pas à les humaniser plus qu'en les imaginant comme de grosses boules roses avec des yeux globuleux et des bras informes, également roses, sans mains, sans doigts, mais avec un pouce. Je me demande ce que sœur Rose, ma prof de bio, penserait de mon image des papilles gustatives. Au moins, je sais que mes papilles sont heureuses, grâce au chocolat que je mange en ce moment… Miam-mioum-mioum-miam.

15 h 37

Moi : Mamaaaaaaaan !!! Téléphoooooone !

Ma mère arrive dans la cuisine. Elle prend le téléphone, met sa main sur le combiné et chuchote :

– Aurélie, ne crie pas dans les oreilles des gens qui appellent, c'est impoli. Appuie sur le bouton *hold*. (Elle enlève sa main du combiné.) Oui, allô ? Allô ? Allô ? AAAAALLLLLÔÔÔÔ ?!?

Moi : J'avais appuyé sur le bouton *hold*, tu sauras.

Ma mère (qui ne le laisse pas paraître, mais qui se sent sûrement super mal de m'avoir sermonnée pour RIEN) appuie sur le bouton et commence à parler à ma tante Louise, sa sœur. Sa conversation sonne comme ça : « Mik mik mik mik mik mik, mik mik mik mik mik mik mik. » Et je retourne dans ma chambre.

15 h 38

Il y a une phrase que je ne suis plus capable d'entendre (et qui devrait être bannie de la surface de la planète selon mon opinion personnelle) et que ma tante m'a lancée, juste avant que j'appuie sur le fameux bouton *hold :* « Un de perdu, dix de retrouvés. »

Depuis que c'est fini avec Nicolas, je ne compte plus le nombre d'adultes qui m'ont dit ça. Comme si ça allait me faire du bien. Comme si ça allait vraiment me consoler. Comme s'ils pensaient que la peine que je vis est totalement vide de sens et que cette phrase allait tout arranger. Comme si, quand ils la prononcent, je me disais, en dedans de moi : « Ah, ben oui ! je n'avais pas pensé à ça ! Maintenant que Nicolas m'a laissée, ça laisse la place à dix gars niaiseux d'entrer dans ma vie. Je vais sortir avec dix gars qui ne sont pas Nicolas et je vais être teeeeeeeeeelleeeeeeeeemeeeeeeeeeeeent plus heureuse avec les dix nouveaux gars ! » Donc, si je me fie à leur réflexion, j'en conclus que pour me consoler de ma peine, les adultes veulent que je sorte avec DIX GARS!!!!!!! Quelle idée stupide/niaiseuse/achalante/pas rapport!

Heureusement, Kat ne m'a jamais dit cette phrase. Ç'aurait été vraiment indigne de la part d'une meilleure amie. Et elle, qui a aussi vécu une peine d'amour (je ne comprends pas trop pourquoi, parce que c'était avec Jean-David Truchon, alias Truch, un gars vraiment poche – P.-S. Ne pas le lui dire, pas à Truch mais à Kat. Hum… ne le dire finalement à ni l'un ni l'autre), sait à quel point les adultes qui nous disent « un de perdu, dix de retrouvés», on aurait seulement envie de les étamper dans le mur.

Bon. Évidemment, je suis une fille pacifique, je n'étamperais personne dans le mur. Ce serait un peu exagéré que quelqu'un me dise une simple petite phrase (sans conséquence si je me bouche les oreilles ou si je mange une barre de chocolat avec des arachides et que le son du croquant m'empêche d'entendre) et que, soudainement envahie d'une force surhumaine (à cause de toute la colère et la frustration que cette phrase me fait ressentir), j'envoie valser dans le mur la personne qui aurait osé la dire.

En plus, il y a une semaine, j'ai décidé qu'il était temps que je devienne plus mature. Alors, étamper quelqu'un dans le mur ne serait pas, disons, conséquent avec ma résolution. Donc, depuis une semaine, je regarde les bulletins de nouvelles pour me renseigner sur ce qui se passe dans le monde (rien de trop réjouissant), j'étudie (pas le choix, mes notes sont en chute libre: kapow), j'essaie de dire des choses très spirituelles du genre: « La planète a grandement besoin qu'on s'en occupe » (quand je dis cette phrase – une fois, cette semaine – je m'imagine porter des lunettes, car ça fait plus sérieux).

Être mature, ce n'est pas si le *fun* que ça en a l'air. Alors, je mange du chocolat. Ça, c'est vraiment, vraiment, vraiment, vraiment le *fun* ! C'est mon petit plaisir personnel.

J'ai rangé tout le chocolat que j'ai reçu à Pâques dans ma chambre et, chaque fois que j'en ai l'occasion, je viens ici (ma chambre, nouvellement peinte en rouge cerise et rose) et je mange mon chocolat compulsivement. Ce qui me permet une perpétuelle euphorie intempestive (Voilà le genre de phrase très mature que je dis maintenant, car le chocolat rend mes neurones en feu !) et un bonheur sans nom (Ha ! ha ! ha !, bonheur sans nom, quelle expression bizarre quand même ! Ha ! ha ! ha !). C'est grâce au chocolat que je ris de petites choses simples de la vie comme de l'expression « bonheur sans nom ». Ha ! ha ! ha !

15 h 48

Le bonheur ne s'appelle pas Robert, il ne s'appelle pas Gilles, ni Jean-Guy: il ne porte pas de nom ! HAHAHAHAHAHAHAHAHAHA ! (Soupir.) Je dois m'essuyer un début de larme sur le bord de l'œil droit tellement je ris !

16 h

Ma mère a raccroché. Elle me dit:

– Loulou m'a dit que tu lui avais raccroché au nez.

Moi (après avoir levé les yeux au ciel) : Je ne lui ai pas raccroché au nez, j'ai simplement pesé sur le bouton *hold*, comme tu me l'as toujours demandé. Tu devrais être contente !

Ma mère : Oui, mais tu l'as fait avant de lui dire « un instant ».

Moi : J'imagine que si elle remarque que ça ne parle plus à l'autre bout du fil, elle peut *deviner* que quelqu'un recommencera à parler dans « un instant », et que, si jamais la ligne a été coupée, à cause d'un, disons, problème technique, elle n'aura qu'à rappeler. Donc, elle n'a qu'à attendre « un instant » sans que quelqu'un soit obligé de lui *préciser* que c'est ce qu'elle doit faire. Elle ne connaît pas ça, la logique? (Évidemment pas, puisqu'elle croit que ça me consolerait de ma peine d'amour de sortir avec dix gars en même temps... Tsss !)

Ma mère : Aurélie, franchement ! Je ne sais pas ce que tu as ces temps-ci, mais je te trouve un peu à pic.

Et c'est ma mère qui dit ça. Ma mère qui, lorsque mon père est décédé, est entrée dans une léthargie de zombie qui a duré cinq ans, et qui s'est terminée quand elle a décidé de faire le ménage de sa garde-robe et de repeindre la maison. Sans oublier qu'après ce grand ménage (que ma mère appelle « changement d'énergie ») elle a rencontré son chum, François Blais, une des personnes qui m'énervent le plus sur cette planète. Sans compter que ma mère s'appelle France et que son chum s'appelle François. Pfff !

C'est comme si je sortais avec un gars qui s'appelle… Aurélien ! Ça n'a pas de sens ! Et ce n'est pas le pire du pire du pire. Le pire du pire du pire, c'est que ma mère (France) et son chum (François) s'en vont passer un mois cet été en… France ! Une chance que le chocolat existe, sinon je trouverais la vie carrément absurde !

16 h 32

D'ailleurs, si je peux me permettre un tel, disons, excès, c'est que ma mère ne se souvient plus que j'ai reçu tout ce chocolat (totale Alzheimer) et qu'elle ne sait pas qu'il est dans ma chambre. Elle croit que manger des cochonneries m'empêche d'avoir de bons résultats scolaires ! Pfff ! C'est totalement faux ! La semaine dernière, le chocolat (et l'attente de) m'a permis de rester éveillée pendant mes cours. Les profs étaient tellement plates que je dormais les yeux ouverts pendant qu'ils parlaient (eh oui, ça se peut, surtout en maths) !

16 h 34

Sur Internet, on retrouve 1 330 sites avec le mot « chocoolique ». Je suis émue. C'est la première fois que je me sens vraiment faire partie d'un groupe.

20 h 01

« Bonheur sans nom. » HAHAHAHAHAHA ! L'expression à elle seule m'en procure un ! La vie est si belle quand elle est agrémentée de chocolat et d'expressions bizarres !

Lundi 8 mai

L'avantage d'aller dans une école de filles, c'est que je ne suis pas obligée de croiser mon ex. D'ailleurs, si je ne vais qu'à l'école et chez moi (parce qu'après tout je dois y être plusieurs heures par jour parce que j'y suis obligée : à l'école, ça doit être une loi quelconque, et à la maison, parce que j'y habite), j'ai, selon des statistiques absolument mathématiques, 0 % de chance de le revoir. Et c'est vraiment bien comme ça.

Ça fait un mois aujourd'hui que je ne sors plus avec Nicolas, le gars que j'aimais p.q.t.m. C'était son idée (mauvaise, selon moi). C'est que mon voisin, Tommy, m'a embrassée. Franchement, ce n'était vraiment rien. Et totalement contre mon gré ! Mais... ça adonne que c'était devant les grandes fenêtres de MusiquePlus et que la scène a été filmée *et* diffusée, avant le bout où je repoussais Tommy. J'ai pardonné à Tommy. Mais Nicolas ne m'a pas pardonné. Il se sentait un peu trop « humilié » que tout le monde lui rappelle cette scène vue à la télé...

But de vie : Devenir une grande scientifique afin d'inventer la machine à voyager dans le temps pour empêcher l'inventeur de la télé d'inventer la télé.

Rectification dans but de vie : Devenir une grande scientifique afin d'inventer la machine à voyager dans le temps pour empêcher Tommy de m'embrasser (empêcher d'inventer la télé étant un peu trop excessif après mûre réflexion).

8 h 17

J'arrive à l'école. Kat est à son casier et cherche quelque chose. Il y a plein de livres et de papiers chiffonnés autour d'elle.

Quand je lui ai annoncé que j'allais passer l'été chez ma grand-mère, elle n'a pas trop réagi, même si elle reviendra de son camp équestre avant mon retour. Je crois qu'elle est un peu trop dans sa bulle « camp d'équitation » depuis qu'elle sait qu'elle y passera un mois en juillet. Par contre, quand je l'ai dit à Tommy, il m'a répondu que, de son côté, il allait passer l'été chez sa mère et qu'il présumait que j'allais me sentir seule sans lui (Pfff! il n'a pas de problème d'estime de lui, en tout cas!). Nous serons tous les trois à l'autre bout du monde, loin les uns des autres. J'espère que ma grand-mère a Internet pour que je puisse leur écrire! Je vais tellement m'ennuyer de mes amis (dans le fond, Tommy a un peu raison)...

8 h 18

En train de prendre mes livres pour l'avant-midi dans mon casier tout en regardant Kat et son bordel.

Moi: Qu'est-ce que tu cherches?

Kat: Mon livre de géo.

Moi: Veux-tu le mien?

Kat: C'est aujourd'hui?

Moi: Ben... oui, j'ai un cours de géo aujourd'hui, mais tu n'as qu'à me donner ton livre après ton cours, ce n'est pas grave.

Kat : Non, mais… c'est aujourd'hui que ça fait un mois avec Nicolas ?

Moi : Oui.

Kat : Veux-tu qu'on fasse quelque chose après l'école ?

Moi : Hmmm… C'est que… ma mère ne veut plus que je sorte la semaine, pour que j'étudie. Je suis comme sous un régime militaire.

Kat : T'sais, on s'en sort.

Moi : De l'armée ?

Kat : Non. Moi, je ne pense plus vraiment à Truch.

Il était temps !

8 h 21

Je sors mon livre de géo et je le lui tends. Puis, je sors mon livre de français et je le mets dans mon sac.

Kat : En plus, avec ta mère qui part en France cet été, tu dois vraiment être déprimée.

Moi : Je suis SUPER contente que ma mère aille en France.

Kat lève les yeux au ciel.

Moi : Quoi ?

Kat : Tu fais toujours ça !

Moi : Quoi ?

Kat : Dire que les affaires ne te dérangent pas quand ça te dérange.

Moi : Ma mère a droit au bonheur, je suis contente pour elle.

Kat : Hu-hum. (Elle se penche dans son casier.) Hé ! regarde ce que j'ai trouvé ! (Elle me montre un vieux Nibs poussiéreux.) Tu le veux ?

Moi : Aaaark !!!

Kat pense que je suis désespérée, mais je ne le suis pas. Et même si je l'étais (parce que ça fait un mois aujourd'hui, ce serait normal), je ne le serais jamais à ce point-là, quand même !

8 h 31

Cours de français.

Impossible de me concentrer sur ce que dit Marie-Claude, la prof, qui est pourtant habituellement une de mes profs préférées. Et ce n'est pas le fait d'être en français enrichi qui est en cause, car c'est la matière où j'ai le plus de facilité à m'améliorer.

Il faut par contre que j'essaie de me concentrer, car il y a une semaine, Marie-Claude m'a avertie qu'elle m'aurait à l'œil. Je l'ai un peu, disons, cherché. Après avoir récité un poème en classe, je me suis sauvée de l'école. À ma défense, j'avais une bonne raison ! J'avais dit à ma mère que je ne voulais pas qu'elle aille passer l'été en France avec François Blais. Et je le regrettais. Après mon poème, que j'avais composé moi-même, je suis sortie pour aller voir ma mère à son travail et lui dire de faire son voyage. Même si je ne tripe pas sur François Blais, j'ai pensé que ma mère avait droit à une nouvelle vie et au « bonheur ». Ma mère a tout expliqué à Denis Beaulieu, mon directeur, mais Marie-Claude a tenu à me donner une retenue quand même. J'ai dû recopier mon poème cent fois. Ce que j'ai trouvé un peu plate (et très peu écologique). Et c'est après ça qu'elle m'a avertie qu'elle m'aurait à l'œil. (Pfff, totalement insensible à ma cause !)

8 h 34

Marie-Claude parle d'un livre qu'on devra lire afin de faire une analyse de lecture. Mais, comme mon pupitre est près de la fenêtre, je regarde dehors et mon esprit divague vers Nicolas au lieu de focaliser sur ce que dit ma prof. Un peu de focus. Fo-cus.

8 h 35

Les gens avaient raison de dire que le temps arrangeait les choses. Le temps a tout arrangé. Je ne pense presque plus à Nicolas. Je dirais même que tout ce qui le concerne est un souvenir flou, vague.

8 h 36

Je plonge la main discrètement dans mon sac pour prendre un petit morceau de chocolat et je dirige le morceau tout droit vers ma bouche. Hum… Je vais le laisser fondre, ça va durer plus longtemps. Et ça me permettra de me concentrer sur ce que dit Marie-Claude.

8 h 37

Je pense à Nicolas *aujourd'hui*, mais c'est seulement parce que ça fait un mois, sinon, les autres jours, c'est comme s'il n'avait jamais existé.

8 h 38

Évidemment, si ça arrive *par hasard* que je pense à lui, je ne me rappelle que de beaux souvenirs. Comme de toutes les fois où on s'est embrassés. Ou de sa bonne odeur d'assouplissant et de son haleine de gomme au melon. Après tout, on est mature ou on ne l'est pas.

8 h 39

Aïe ! l'image de l'oiseau qui m'a fait caca sur la tête pendant que Nicolas me disait qu'il voulait qu'on casse a soudainement surgi dans mon esprit.

8 h 40

Pas grave. Je suis mature. Et zen. Ha-houm. Ha-houm.

8 h 41

Je suis certaine que Nicolas rit de moi, en ce moment. Je suis certaine qu'il revoit la scène où le caca est apparu de façon inopinée sur ma tête ! Il doit dire à ses amis : « Et là, *man*, j'ai cassé et HAHAHAHAHAHAHAHA ! un oiseau a fait caca sur sa tête HAHAHAHA HAHAHA ! et ça coulait HAHAHAHAHA ! dans sa face ! »

8 h 42

Évidemment, il ne peut rire de moi *en ce moment même* parce qu'il a un cours. Mais je suis certaine qu'il rit de moi *en général*, avec ses amis. À moins qu'il pense à ça dans sa tête en ce moment, et qu'il rie de moi en silence ? Ooooooh nooooooon !

8 h 45

Franchement, je trouve Nicolas pas très gentil de rire de moi comme ça, auprès de ses amis *et* dans sa tête ! Ce n'est vraiment pas gentleman ! Et ce n'est vraiment pas cool !

8 h 47

J'ai les jambes croisées et je commence à faire trembloter mon pied droit.

8 h 48

Non, mais c'est vraiment hyper pas cool et hyper pas rapport de rire comme ça, dans le dos des autres !

8 h 49

JE VAIS LUI DIRE, MOI, QUE, SELON CERTAINES CROYANCES, UN OISEAU QUI VOUS FAIT CACA SUR LA TÊTE, ÇA PORTE CHANCE, BON !

9 h 02

Marie-Claude : Je vous laisse le reste de la période pour faire du travail libre, je sais qu'avec la fin de l'année qui s'en vient, vous en avez beaucoup sur les épaules.

Elle est gentille, Marie-Claude. Vraiment ma prof préférée, avec sœur Rose ! Je suis capable de faire du travail personnel sans penser à… toutes sortes de choses. Beaucoup plus facile que d'écouter un prof parler.

9 h 03

J'ouvre mon livre de français.

9 h 05

Mon pied, que je faisais toujours trembloter, a raflé le mur, ce qui a fait un drôle de son (bruit de pet, pour être plus précise) et toutes les filles de la classe se sont retournées vers moi. J'ai dit :

– Euh… c'était mon pied… sur le mur. Comme ça.

Et là, j'ai tenté de refaire le son en frottant mon pied sur le mur, mais ça ne l'a pas refait. Alors, quelques filles ont replongé la tête dans leur cahier et d'autres ont ri d'un petit rire sourd. Puis, Marie-Claude a dit :

– Bon, les filles, péter, c'est humain. Concentrez-vous, maintenant.

Si j'avais le pouvoir de mettre le feu avec mes yeux, comme dans le film *Carrie*, c'est Marie-Claude qui brûlerait en ce moment (je garderais peut-être un peu de feu pour les oiseaux). Mais bon, comme je n'ai que du chocolat, je m'en prends un gros morceau. Oh ! ça soulage !

Note à moi-même : Tenter de contrôler mes excès de violence inappropriés.

Note à moi-même n⁰ 2 : Très facile. Miam, miam. Avec le chocolat. Dans le fond, dans le film *Carrie*, ils n'auraient eu qu'à donner du chocolat à la fille qui mettait le feu. Dommage qu'ils n'y aient pas pensé. Très bonne solution. Miam, miam. N'ai plus le goût, miam, miam, de brûler, miam, miam, quoi que ce soit, miam, miam.

18 h

Au souper.

Ma mère : Comment s'est passée ta journée ?

Moi : Bof… Normal.

Ma mère : Moi, j'ai passé une belle journée. Les gens au bureau commencent à savoir que je sors avec le boss.

Moi : Ah.

Ma mère : Surtout depuis que tu es venue au bureau. Ça potine…

Moi : Ah.

Ma mère : Mais au travail, on ne se démontre pas d'affection.

Moi (dans ma tête seulement) : Ce serait cool que ce soit comme ça ici…

Ma mère : Veux-tu une autre portion de lasagne ?

Moi : Hu-hum.

Ma mère : Alors, dans ta journée, il n'y a pas eu d'anecdote marquante ?

Moi : Ben… oui, une. Mon pied a raflé le mur et tout le monde a pensé que j'avais pété.

Ma mère : HAHAHAHAHAHAHAHAHA HAHAHAHAHAHAHA !

Moi : Finalement, je ne prendrai plus de lasagne, je vais aller dans ma chambre.

Ma mère : Ah, bon ? Pourquoi ?

Moi : C'est la seule chose qui me retient de devenir pyromane.

19 h 10

Ma mère cogne à ma porte et l'ouvre sans même attendre que je lui dise d'entrer. Heureusement, j'ai développé une certaine rapidité à cacher mon chocolat.

Ma mère : Ça va, ma puce ?

Moi (en levant le pouce et en forçant un sourire) : Super.

Ma mère: Tu peux me parler si tu veux.
Moi: Pas besoin.
Ma mère: Mais… ça va, t'es sûre?
Moi: Oui, bon!

Mardi 9 mai

J'ai décidé (hier soir, pendant que je mangeais du chocolat) de prendre les choses avec philosophie. Je suis obligée d'aller passer une partie de l'été chez ma grand-mère Laflamme parce que ma mère s'est fait un nouveau chum et qu'elle a décidé de faire un voyage avec lui en France sans m'emmener. Mais ce n'est pas grave, ça me permettra 1) de découvrir un autre coin du Québec plus en profondeur et 2) de passer plus de temps avec ma grand-mère. (Note à moi-même: Trouver d'autres raisons plus réjouissantes.) Au moins, ma grand-mère m'a dit que je pouvais emmener Sybil. Elle n'avait pas le choix. J'ai averti ma mère que je n'irais nulle part sans elle. Pas question de me séparer de ma belle minoune préférée pendant deux mois!

Au début, ma mère voulait m'envoyer en camping avec mes grands-parents Charbonneau qui passent tous leurs étés à parcourir le Québec dans leur Winnebago (je déteste le camping). Mais ils ne voulaient pas que j'emmène Sybil. Moi, sans Sybil ?!? Jamais ! Alors, finalement, elle a décidé d'appeler ma grand-mère Laflamme, et elle a accepté de me prendre chez elle tout l'été, avec ma chatte (*Yes !* Congé de camping !). Elle a tellement hâte qu'elle m'appelle presque aux deux jours pour me demander ce que j'ai envie de manger cet été, ce dont Sybil a besoin, etc., etc. Je lui réponds (pas dans ces mots-là, car je reste polie) de se relaxer, car si elle fait une épicerie maintenant, la bouffe sera périmée quand je vais arriver en juillet. (Je crois que les adultes qui m'entourent ont des petits problèmes avec la logique des choses…) Et je n'ai besoin de rien d'autre que d'une connexion Internet.

Depuis que mon père est décédé, je n'ai pas vu ma grand-mère Laflamme souvent. Aux funérailles, elle a offert son aide à ma mère, mais ma mère s'est plutôt tournée vers sa propre famille. Par contre, elle a toujours trouvé important qu'on visite ma grand-mère au moins une ou deux fois par année. Parce que je suis la seule personne qui puisse rappeler mon père à ma grand-mère, qui n'a pas de mari ni d'autres enfants.

À part pour ses crêpes qui sont les meilleures de l'univers, je ne me suis jamais sentie très près d'elle. Je ne sais jamais quoi lui dire. Quand ma mère est là, ça va. Mais presque tout un été toute seule avec elle, ouf ! Je n'ose pas l'imaginer. Ça me stresse solide.

13 h 15

Malgré ce léger stress, je trouve ça super que ma mère parte en voyage. Pour l'été. Avec son chum. Son boss, en fait. Ils s'en vont rencontrer des futurs clients, entre autres. Donc, c'est super pour sa carrière et tout.

13 h 16

OK. Je ne trouve pas ça si « super ». Je trouve ça, disons, correct.

13 h 17

« Correct », je ne sais pas si c'est vraiment le bon mot. Disons que je trouve ça... un-synonyme-de-correct-qui-serait-un-peu-moins-positif (si un tel mot existe).

13 h 18

Épouvantable ?

Note à moi-même ultra top-secrète : Il me reste quand même presque deux mois avant le voyage de ma mère pour découvrir que François Blais est le Diabolo-Man que je crois qu'il est. Et faire annuler le voyage. Et passer l'été avec ma mère. Peut-être même louer un chalet, sur le bord d'un lac, ou quelque chose du genre.

Note à moi-même n° 2 : En plus, il serait vraiment pratique que le voyage soit annulé de façon impromptue, car je suis un peu en danger de mort chez ma grand-mère... À cause de la fumée secondaire. Ma grand-mère fume comme Lucky Luke avant qu'il ne découvre les vertus des brindilles de paille !

13 h 50

Ouch ! J'étais tellement absorbée par mes pensées que j'ai reçu le ballon sur le bras gauche. Le problème, avec les cours d'éduc et le jeu de ballon-chasseur, c'est qu'on ne peut pas être dans la lune en paix. Il faut rester alerte.

Comme ça pince, je me frotte un peu le bras.

La prof d'éduc, Manon, souffle dans son sifflet et dit (avec l'écho qui projette sa voix dans le gymnase) :

– As-tu besoin d'aller à l'infirmerie, Aurélie ?

Moi : Non… ça va être correct.

Questionnement d'ordre médical : Est-ce que l'infirmière scolaire a des remèdes pour les maux d'orgueil ?

Mercredi 10 mai

Cours de bio.

Après que sœur Rose nous a parlé pour la énième fois de l'importance qu'avaient les fameux rideaux doublés dans le local de bio (discours pendant lequel je dessinais des étoiles dans mon agenda), elle a dit quelque chose qui a particulièrement attiré mon attention :

– La mémoire olfactive a une plus grande longévité que d'autres systèmes sensoriels. C'est parce que la mémoire olfactive ne fonctionne pas de la même manière que la mémoire visuelle ou auditive. Elle résiste non seulement au temps, mais elle enregistre aussi, en même temps que l'odeur, le contexte sensoriel et émotionnel.

Oh, oh, oh ! Vraiment intéressant ! Oui, parce que, comme je l'ai dit, je ne pense plus *du tout* à Nicolas. Par contre, je suis incapable de m'empêcher de ressentir, disons, une pointe d'émotion quand je respire l'odeur du bon assouplissant (dont je ne connais pas encore la marque) que ses vêtements dégageaient, ou que quelqu'un mâche de la gomme au melon (sa préférée). Mais selon ce que dit sœur Rose, c'est un détail qui se résorbera facilement (en évitant tout contact avec l'assouplissant ou la gomme au melon). Et sentir du chocolat me met heureusement une autre odeur en tête (nez).

11 h 15

Sœur Rose (qui continue) : L'odorat est le système sensoriel le plus ancien et le plus primitif. Son accès au cerveau est le plus direct et le plus court. Voyez ici (elle pointe avec sa baguette une partie du cerveau sur une toile représentant un crâne humain), vers le paléocortex via le bulbe olfactif. Plusieurs études démontrent qu'il est plus compliqué pour l'être humain d'enregistrer un son ou une image dans sa mémoire à long terme que d'enregistrer une odeur.

Je me souviens de la voix de sœur Rose au début de l'année, quand elle nous avait expliqué la circulation sanguine en faisant une analogie avec la circulation automobile à l'heure de pointe et qu'elle avait terminé en disant: « C'est une preuve qui prouve que la bio, c'est la vie. » En ce moment, j'aurais envie de bondir de ma chaise et de lui sauter dans les bras. (Mais si je faisais ça, je serais totale rejet pour le reste de l'année auprès des filles de ma classe.)

J'ai donc complètement oublié Nicolas. Mais mon *nez* en est incapable, parce qu'il a la mémoire plus longue que tous mes autres sens! Quel soulagement!!! Franchement, pour une rare fois, je sens que l'école apporte vraiment quelque chose à mon existence.

Jeudi 11 mai

Après le cours de maths, Kat me montre une liste de critères qu'elle aimerait retrouver chez son prochain chum.

Moi: T'as fait ça pendant le cours?

Kat: Oui. Je me suis dit que je devais maintenant aborder l'amour de façon... mathématique.

Moi: Mathématique?

Kat: Oui. Fait que je faisais des maths. Des maths, mais en amour, genre.

Moi: Hein? Ça n'a aucun sens, ce que tu dis!

Kat: T'sais, l'autre jour, tu m'as dit que la peine que ça t'a fait que ton père... euh...

« parte », t'a brisé le cœur, mais que le fait de t'ouvrir à nouveau t'a fait du bien, même si tu as eu un autre genre de peine. Que c'est ce qui permettait de se sentir en vie. Moi, Truch, ça m'a fait de la peine, mais je crois que je suis prête pour vivre une nouvelle affaire. D'amour, t'sais ? Et je veux que mon chum ait ces critères.

Elle secoue la feuille qu'elle tient dans sa main. Je regarde un peu sa liste.

Moi : Tu veux qu'il aime les… sushis ?

Kat : Ouain… J'y ai goûté l'autre jour. C'était bon.

Moi : … qu'il aime Bob l'éponge ?

Kat : C'est comme un symbole. S'il aime Bob l'éponge, ça prouve qu'il n'est pas snob. Donc, tout le contraire de Truch.

Moi : Pas fou. Qu'il soit bon en escalade ?

Kat : L'autre jour, j'ai vu un reportage sur des gars qui faisaient de l'escalade. Et je trouvais qu'ils avaient de beaux muscles. Et je me suis dit qu'on pourrait s'embrasser la tête à l'envers. Comme dans *Spiderman*, genre.

Elle penche la tête et mime le baiser de Spiderman à Mary Jane pendant que je replonge dans la lecture de ses critères.

Moi : … ressembler à David Desrosiers, de Simple Plan ?!?

Kat : Certains critères sont facultatifs. J'ai seulement mis… mon idéal.

Moi : Ah bon. Mais je ne vois toujours pas le rapport avec les maths.

Kat : Pas grave ! (Je la regarde, toujours curieuse.) Bon, OK, j'ai niaisé pendant le cours ! Une fille s'essaie !

Moi : Ah.

Kat : OK, toi aussi, fais une liste !

Moi : Es-tu malade ?!?!!! Avant que je m'intéresse à un gars, les cochons vont avoir des dents ! Je ne voulais pas tomber amoureuse ! Nicolas était un… une erreur de parcours !

Kat : Les cochons ont *déjà* des dents.

Moi : Ah, ouain ?

Kat : C'est « Quand les poules vont avoir des dents », l'expression.

Moi : Les cochons ont des dents ? C'est bizarre, parce que leur bouche, on dirait que c'est leur nez. Alors, ils ont des dents dans le nez ?

Kat : Leur bouche est en dessous de leur nez. C'est juste… collé.

Moi : Ah, ouain ?

Kat : Écoute, là, je ne suis pas une experte en cochons ! Je sais juste qu'on dit « lorsque les poules vont avoir des dents » ! Mais fais une liste de critères pareil !

Moi : Bof…

Kat : Envoye ! On fait ça juste pour le *fun* !

Moi : OK, ben… j'aimerais ça que mon prochain chum… euh… aime… euh… les glissades d'eau.

Kat : Hu-hum. Ensuite ?

Moi : Ben, c'est tout. S'il aime les glissades d'eau, ce serait super.

Kat : Oh, franchement ! Tu ne prends pas ça au sérieux, alors que moi, j'essaie de te changer les idées !

19 h 23

Eh bien oui : les cochons ont des dents ! Je suis allée voir sur la section « images » dans

Google, j'ai tapé « dents de cochon » et j'ai vu des fermiers (j'imagine que c'en était) qui ouvraient la bouche de leurs cochons pour nous montrer leurs dents. Ce n'est pas que je suis une totale inculte, c'est juste que je ne passe pas ma vie à faire une liste des animaux qui sont susceptibles ou non d'avoir des dents !

19 h 25

Encore en train de regarder les photos de cochons.

Vraiment bizarres, les gens qui se prennent en photo en tenant la gueule de leur animal ouverte. Vraiment trop bizarres.

19 h 30

J'ai ouvert la bouche de Sybil afin de bien voir ses dents et ça ne m'a pas fait l'effet de vouloir me faire prendre en photo dans cette position. En plus, Sybil était frue. Je me demande si les cochons ont une telle attitude rébarbative envers leur maître (note : penser à demander conseil à un fermier, si jamais j'en rencontre un).

20 h

Bon, assez niaisé. Il faut que je fasse ma lecture obligatoire en français. Je commence *La promise*, de Raymond Payeur.

« Estebald de Galec s'élança à toute vitesse sur son fidèle destrier. Il laissait dans son sillage un nuage de poussière s'élevant dans le ciel sans nuages au même rythme que le galop de son étalon. Il ne pouvait tourner bride. Par la pointe de son épée, il devait combattre le monstre de feu sanguinaire ; telle était la mission que lui avait confiée sa tribu. À l'orée de la grotte maudite, un tison s'éleva dans l'horizon, telle une marque sacrée pointant son ennemi au preux chevalier. »

Hein ?!? Quoi ???? Je ne comprends rien !

20 h 12

Driiiiiiiing !

Moi (en criant à ma mère) : JE RÉPONDS ! Oui, allô ?

Tommy : Hé, Laf ! Qu'est-ce que tu fais ?

Ma mère : Oui, allô ?

Tommy : Allô… C'est Tommy.

Moi : C'est pour moi !!!

Ma mère : Oh, 'scuse. Bye, Tommy !

Tommy : Bye, madame Charbonneau !

Ma mère : Tu peux m'appeler France, Tommy.

Moi : M'maaaaan, raccroooooooche !

Ma mère raccroche.

Moi : Je lis un livre plate.

Tommy : C'est quoi ?

Moi : *La promise.*

Tommy : Ah oui, c'est bon ça !

Moi : Je ne comprends rien.

Tommy : Quel bout ?

Moi : Le… début.

Tommy : Oui, mais quel bout du début ?

Moi : Les cinq premières lignes.

Tommy : Il faut que le chevalier tue un dragon.

Moi : Pour vrai ?!? Mais pourquoi ils ne le disent pas clairement ?

Tommy: Ben… c'est le style de l'auteur. Moi, je trouve ça bon. Tu vas voir, continue, tu vas aimer ça. Finalement, ce chevalier se fait tuer par le dragon et ensuite un meilleur chevalier, genre chevalier très réputé, se fait engager pour venger la mort du premier chevalier parce que c'était le chevalier *hot* du coin, t'sais, alors tout le village est fru. Mais ce chevalier…

Moi: Quel chevalier?

Tommy: Le nouveau, engagé pour venger l'honneur de l'autre, tombe amoureux d'une fille qui a été élevée par les dragons. Pis il hésite à tuer, genre, la « famille » de la fille qu'il aime. Et il découvre que tout ce que les dragons voulaient, c'était de protéger la fille.

Moi: Ouain, ç'a l'air pas pire. Pis là?

Tommy: Pis là, quoi?

Moi: Ben, qu'est-ce qui se passe ensuite?

Tommy: Lis-le.

Moi: Ouain, mais tu le racontes mieux.

Tommy: Le chevalier…

Moi: Lequel?

Tommy: Toujours le même, le deuxième, l'autre est mort, tu me suis? En tout cas, le chevalier découvre que la fille est amoureuse… d'un dragon. Ça lui brise le cœur.

Moi: La fille est amoureuse d'UN DRAGON?!? Aaaaaark! c'est donc ben dégueu!

Tommy: Ben… c'est une métaphore. Du genre *La belle et la bête*. Un amour impossible, aussi. Fait que le chevalier essaie de faire semblant qu'il a tué le dragon, mais il leur trouve un lieu sûr pour vivre leur amour en secret parce que si le village découvre que la fille aime un dragon, on va la brûler sur un bûcher et l'accuser de sorcellerie.

Moi : C'est une sorcière ?

Tommy : Non, mais le village pourrait le penser parce que ce n'est pas vraiment commun d'aimer un dragon.

Moi : Ah, ç'a l'air pas pire.

Tommy : Ben... je t'ai dévoilé plein de punchs. Hé, demain soir, est-ce que ça te tente de faire quelque chose ?

Moi : C'est que... T'sais, j'aimerais mieux rester ici. Statistiquement, il y a moins de probabilités de croiser... euh... des indésirables.

Tommy : Je te jure que si on voit Nicolas, je vais créer une diversion.

Moi : Ce n'est pas lui, l'indésirable ! C'est euh... ben... quelqu'un, là. Quelqu'un de mon école.

Tommy : Allez ! On va au cinéma !

Moi : OK, d'abord. Mais à condition que ce ne soit pas pour voir un film médiéval, on dirait que je ne connecte pas trop avec le... langage « chevalier ». Le monde qui tombe amoureux de dragons, là, je ne sais pas, mais je trouve ça bizarre.

Tommy : OK, cool ! À demain ! Je t'appelle après l'école.

Moi : J'invite Kat. À demain, bye !

21 h 23

J'ai continué à lire, mais Tommy raconte vraiment mieux le livre que l'auteur. Sybil vient se coucher sur mon livre.

Moi (en lui grattant les oreilles) : T'as raison ! Je vais continuer demain ! Ce soir, ce n'est pas un bon soir pour embarquer dans une histoire épique médiévale tordue.

Sybil ronronne et j'attrape un *Archie*. Ah! Ça, c'est bon! Dommage que ce ne soit pas une lecture obligatoire en français…

21 h 31

Ma mère (du salon): Aurélie! Il est l'heure de te coucher!

Sans commentaire.

P.-S. Évidemment que l'indésirable, c'est Nicolas. Je ne peux pas risquer de le croiser et de le sentir. Ça mêlerait mon paléocortex.

Vendredi 12 mai

Il fait super beau! Beau et un peu chaud. Ça sent vraiment le printemps. Un mélange de terre mouillée, d'asphalte sec et de feuilles qui poussent. (C'est très important d'enregistrer de nouvelles odeurs dans ma mémoire olfactive.)

10 h 50

Entre les cours, les filles de cinquième secondaire militent encore contre l'uniforme scolaire. Elles ont maintenant un nouvel argument: elles disent que notre uniforme n'est pas adapté à la chaleur qui s'en vient (soupir).

11 h 11

Cher 11 h 11, faites que les filles de cinquième secondaire ne gagnent pas. Je n'ai pas assez de vêtements pour pouvoir varier mon look de jour en jour. Je serais toujours habillée pareil quand même et, comme je devrais porter le même vêtement quelques jours de suite, mon hygiène corporelle serait compromise et peut-être que j'aurais une réputation de fille qui pue. Aussi... puisqu'il n'est pas encore 11 h 12, j'aurais une autre petite demande. Faites que mon cerveau se réveille. Je ne me considère pas comme une niaiseuse, mais mon voisin, qui n'est même pas en français enrichi, a compris un livre que, moi, je ne comprends pas. Il y a quelque chose de louche qui se passe avec mon intelligence...

19 h 27

Au cinéma avec Tommy et Kat.

Kat, Tommy et moi sommes devant la billetterie du cinéma et nous nous obstinons sur le film que nous irons voir. Moi, je veux juste qu'on choisisse, parce que j'ai trop peur de croiser Nicolas. Et je ne me sens pas prête à le revoir (pas tant que je n'ai pas réglé mon problème olfactif).

Kat : C'est mieux un film de filles !

Tommy : Non, un film d'action. Laf a besoin de se changer les idées.

Kat : Arrêêêêêête de l'appeler Laf ! C'est Au, son surnom !

Moi : C'est vrai, Kat. Toi non plus, tu ne voulais pas voir de film d'amour quand Truch et toi… Tu louais des films de chevaux, tu te souviens ?

Kat : Oui, mais là, ça fait plus qu'un mois.

Près de nous, une gang de gars arrive. On entend un gars crier, en brandissant des billets :

– Desrosiers ! David ! On est là !

Kat me donne un gros coup sur l'épaule.

Moi : Ouuuuuch !!! Qu'est-ce qu'il y a ?

Kat : T'as pas entendu ? David Desrosiers est ici !!!

Moi : Où ça ?

Je commence à chercher Simple Plan, mais je ne vois personne du groupe.

Tommy : C'est juste un gars qui s'appelle David Desrosiers. Ce n'est pas *votre* David Desrosiers.

Moi (en pointant Kat) : *Son* David Desrosiers.

Tommy : Sur lequel tu tripes, toi ?

Moi : Sur personne. J'aime seulement leur musique.

Tommy rit d'une façon sceptique et j'aimerais encore une fois pouvoir exercer mon pouvoir d'yeux incendiaires sur lui, si seulement j'avais un tel pouvoir.

Note à moi-même : Réellement tenter de développer télékinésie et/ou autre pouvoir paranormal.

19 h 29

Kat : On va voir le même film qu'eux !

Tommy : Es-tu malade ?!? Ç'a l'air super plate !

Kat : C'est un com-pro-mis.

Moi : OK ! on va voir le film de Kat.

Kat : Bon ! pour une fois que tu prends pour moi. Ta meilleure amie, en passant.

Moi : C'est beau, t'as gagné, pas besoin d'en rajouter.

Kat regarde Tommy en pointant son pouce sur son cœur et en disant :

– Mei-ll-eu-re a-m-ie.

Tommy regarde Kat en pointant son pouce sur son cœur et en disant :

– Man-geur de che-val.

Kat : Maudit niaiseux ! Aurélie, dis à *ton* ami que s'il continue, il ne pourra plus sortir avec nous !

Tommy : C'est moi qui ai invité Laf, alors techniquement, c'est *toi* qui sors avec nous.

Moi : Bon, là, arrêtez de niaiser, il faut entrer dans la salle si on ne veut pas croiser du monde qu'on ne veut pas sentir, euh… croiser.

20 h 43

Impossible de regarder le film. Kat, qui a choisi les sièges juste devant la gang de David Desrosiers 2, n'arrête pas de se retourner pour les regarder et me passer des petits commentaires.

David Desrosiers 2 ne ressemble en rien au vrai David Desrosiers. Il a les cheveux blonds coupés très courts, une casquette, un manteau d'équipe de sport (je crois que c'est baseball), il est assez maigre et je crois qu'il est plus jeune que nous. En plus, il a l'air de trouver ça drôle de lancer du pop-corn sur les gens (ce que, personnellement, je trouve carrément moron). Mais Kat, fidèle à son habitude d'avoir le cerveau ramolli quand elle s'intéresse à un gars, n'arrête pas de rire chaque fois qu'elle voit revoler des grains de pop-corn dans la salle. Plusieurs adultes venus voir ce film sérieux, voire dramatique, n'arrêtent pas de crier « chuuuuuuut », ce qui me fait honte.

21 h 51

Après le film, les gars de la gang de David Desrosiers 2 parlent fort et rient fort. Comme Kat rit avec eux et qu'elle n'a d'yeux que pour l'homonyme de son idole, David engage la conversation avec elle.

David : Salut.

Kat : Salut.

David : Tu trouvais ça drôle qu'on garroche du pop-corn.

Kat : Oui, hi ! hi !

David : Cool.

Kat : Ouain, cool, hi ! hi !

Tommy et moi nous regardons, un peu découragés, pendant que Kat et David échangent leurs numéros de téléphone.

21 h 55

C'est le père de Kat qui est venu nous chercher au cinéma. Aussitôt qu'il est arrivé, elle a arrêté de glousser, mais elle avait un grand sourire étampé dans la face, ce qui a fait croire à son père qu'on avait vu une comédie. Kat a répondu : « Une comédie… romantique ! » Et j'ai levé les yeux au ciel.

Samedi 13 mai

Il est rare, dans la vie, de rencontrer quelqu'un qui nous énerve autant que m'énerve François Blais.

Avant le souper, je regardais la télé. Et il a commencé à regarder par-dessus mon épaule et à me poser des questions.

F.B.: Qu'est-ce que tu regardes?

Moi: Un film.

(C't'affaire!)

F.B.: C'est quoi?

Ahhhhhh! Pourquoi toujours des questions?!? Il n'a qu'à vérifier dans le télé-horaire, comme je l'ai fait, moi.

J'aurais parfois envie de lui dire tout ce que je pense de lui, mais ce ne serait pas gentil. Alors je me tais. Par exemple, à cet instant précis, j'aurais le goût de lui dire: «Regarde dans le télé-horaire, tata!» Mais ce serait total impoli. J'adooooore ma chambre, mais pas au point d'y rester enfermée de force pour l'éternité.

18 h 17

Souper avec François Blais, à la maison. Il a fait du macaroni au fromage (sûrement pour avoir l'air cool, trop évident).

Je mange en regardant mon assiette.

F.B.: Est-ce que tu trouves ça bon, Aurélie?

Moi: C'est... comestible.

F.B.: Ah ben, c'est ça le but, hé hé!

Moi: Mon père mettait des saucisses dedans.

F.B. : Wow ! Ça devait être très bon ! Bonne idée, on fera ça la prochaine fois !

Moi : Ben, il avait une technique spéciale, là. Il faut savoir *doser* le bon nombre de saucisses et tout… Pas évident.

Ma mère : Hé, après le souper, qu'est-ce que vous diriez d'aller jouer au Rigolfeur ?

F.B. : Ça me tente ! Et toi, Aurélie ?

Moi : Non, pfff, quétaine !

2 poules en chocolat, 7 mini-œufs et 3 craquelins (pour changer un peu le goût du sucre) plus tard…

Dans ma chambre, au téléphone avec Kat.

Kat : Ouain, mais il voulait seulement être sympathique.

Moi : Non, bon.

Kat : Je te trouve pas mal bébé.

Moi : Tu ne peux pas comprendre…

Kat : Personne ne peut être plus énervant que Julyanne, c'est impossible !

Moi : Ta sœur est vraiment *sweet*, tu te plains pour rien.

Kat : Moi aussi, je trouve que tu te plains pour rien.

Moi : T'es chanceuse que tes parents soient… ensemble.

Kat : T'es chanceuse de ne pas avoir de petite sœur. Bon, assez parlé de ça. Ouuuuuh ! Tu sais pas quoi ? David Desrosiers tripe sur moi. Il m'a appelée aujourd'hui et on a parlé trois heures au téléphone ! J'ai raccroché quand j'ai découvert que ma sœur écoutait la conversation. Ah, elle, là ! Grrr !

Moi : Voyons, Kat, tu ne peux pas sortir avec un gars juste parce qu'il est un homonyme !

Kat : Tu n'as rien compris de ce que je t'ai dit ? Il tripe sur moi, il n'est pas gai !

Moi : Non, pas gai ! Homonyme, ça veut dire porter le même nom que quelqu'un.

Kat : Ah.

Moi : Tu ne peux pas sortir avec lui juste parce qu'il porte le même nom que le bassiste de Simple Plan !

Kat : Ce n'est pas juste pour ça. Il est *cute.* Et il aime les chevaux, lui aussi.

Moi : Il est plus jeune que toi, il est laid et il garroche du pop-corn sur les gens pendant les films dramatiques au cinéma. *Come on !*

Kat : Oh… T'AS RAISON ! Je tripe sur lui juste parce qu'il est homo-truc-muche !

Moi : Homonyme.

Kat : Toi pis tes mots à cent piasses ! Aurélie… j'ai quelque chose à t'avouer…

Moi : Tu m'appelles Aurélie, maintenant ?

Kat : Je crois que… même si, t'sais, les chevaux m'ont changé les idées et tout, j'ai… ben…

Au moment où elle va me faire ce qui semble être une grande révélation-choc, on entend un « clic ».

Kat : Chut !

Moi : Hé, c'est toi qui parles !

Kat : Chut, je te dis !

Moi : Quoi ?

Kat : Julyanne écoute. Julyanne ! Raccroche tout de suite ! Je vais le dire à maman que tu m'écoutes !

J'entends soudain le téléphone qui tombe par terre et Kat au loin qui crie à sa sœur qu'elle va se venger, et sa sœur qui crie à son tour de la laisser tranquille, qu'elle n'a rien fait. Je crois que Kat lui donne des coups d'oreiller. Elle reprend le téléphone et me dit :

– Au, je te laisse, on se reparle, OK ? Il faut que… AHHHHHHHHHHHH !

La ligne est coupée. Douuuuh.

À l'agenda : Penser remercier le Ciel d'être enfant unique.

Dimanche 14 mai

Fête des Mères.

Je suis allée porter à ma mère un déjeuner au lit, ce qui a semblé lui faire très plaisir, et j'ai vu, sur sa table de chevet, un livre intitulé *Comprendre son ado*.

Je me demande bien quel ado elle a de la difficulté à comprendre ! (Ça ne peut être moi, je suis *très* facile à comprendre ! Peut-être qu'elle a une incompréhension générale de l'adolescence. Mystère.)

Lundi 15 mai

J'ai remis mon analyse de roman en français, selon l'histoire que m'avait racontée Tommy. J'aurais pu lire le livre, mais Tommy m'avait déjà tout raconté, alors : perte de temps.

Analyse de lecture du roman
***La promise*, de Raymond Payeur**
Présentée à Marie-Claude Lefebvre
Par Aurélie Laflamme

Dans la vie, le racisme existe. L'histoire dont je vais vous parler traite de racisme et d'amour.

La promise, de Raymond Payeur, raconte l'histoire d'un chevalier qui tombe amoureux d'une paysanne qui fut élevée par les dragons et qui, se prenant elle-même pour un des leurs, tombe amoureuse d'un de ses amis dragons. Malheureusement, elle doit cacher cet amour « enflammé », incompris du reste du village. Et son amour pour le dragon – un être totalement incompris et mal jugé, puisqu'il est assez gentil pour inspirer l'amour d'une belle jeune fille – peut lui valoir d'être brûlée sur un bûcher.

Le dragon représente tous les gens qui sont victimes de préjugés, et l'amour entre lui et la jeune fille représente tout ce qui est différent et incompris.

De son côté, le chevalier fait preuve de générosité en aidant la fille qu'il aime et en la respectant dans son amour des dragons (et surtout d'un dragon en particulier).

En conclusion, ce n'est pas parce qu'on est un dragon qu'on n'est pas digne d'amour et, dans le roman, la fille l'a bien compris et elle a décidé d'écouter son cœur et non les préjugés de son époque.

19 h 15

Je repense à mon travail de français. Je suis en feu (aucun rapport avec les dragons) ! Je me félicite de mon bon travail et du temps que j'ai gagné. Je crois que, côté « neurones », je suis vraiment sur la bonne voie.

19 h 16

Franchement, ce n'est pas comme si j'avais triché. Le fait que je n'aie pas lu le livre est un minuscule détail. C'est seulement que je sais reconnaître les forces et les faiblesses de chacun et, de ce fait, je suis capable de déléguer. J'ai donc de grandes qualités de leader.

19 h 17

Je me croise les bras derrière la tête et je m'étends sur mon lit. Soupir de soulagement. Sentiment du devoir accompli.

Mardi 16 mai

Je ne sais pas ce que les humains faisaient dans le temps de l'inexistence du chocolat. Il a quand même fallu quelqu'un de supra intelligent pour prendre une grosse cocotte brune et d'avoir l'illumination de croire que ça pouvait donner quelque chose d'aussi bon avec un simple petit mélange d'ingrédients.

Je suis persuadée qu'avant la découverte du chocolat, le mot extase n'existait pas (à vérifier).

Mercredi 17 mai

Je suis frue ! Je suis frue ! Je suis frue !!!!!!!!!!

Pourquoi Tommy est dans ma vie, pourquoi, pourquoi, pourquoi ? Je n'ai rien demandé, moi ! Mais non ! Il fallait qu'un jour ses parents divorcent et que Tommy, qui vivait paisiblement avec sa mère trèèèèès loin d'ici, décide soudainement de déménager sur MA rue, chez son père parce qu'il s'ennuyait de lui. Vivre avec sa mère ne le comblait plus. Il fallait qu'il vienne connaître la nouvelle famille de son père et blablabla. Moi, les gens qui ne sont pas capables de se contenter de ce qu'ils ont, ça me frustre solide ! Et Tommy fait partie de ces gens. Et il bouleverse mon existence !

Et comble de malheur : il ne me reste plus de chocolat de Pâques ! Qu'est-ce que je vais faire ? Ma vie est foutue !

16 h 15

Bon. Il faudrait que je commence par remettre les choses en perspective. Ma vie n'est pas si foutue que ça, quand même. Une vie n'est pas foutue par manque de chocolat (la mienne, ouiiiiiiiiiiii).

16 h 17

Au téléphone avec Tommy :

Moi : Tommy ! Arrrrghhhhhh !

Tommy : Laf ?

Moi : Arrrrrghhhh ! Arrrrgh !

Tommy : 'Scuse-moi, je ne parle pas loup-garou.

Moi : Arrrgh ! Je ne te ferai plus jamais confiance, Tommy Durocher !!!

Tommy : Les nerfs ! C'est quoi, le problème ?

Moi : Pourquoi tu ne m'as pas dit que le dragon que la fille aimait était un chevalier que seulement les autres voyaient comme un dragon ?!?

Tommy : Ben... je voulais juste te donner le goût de lire le livre.

Moi : À cause de toi, j'ai coulé mon analyse !

Aujourd'hui, en français

On a reçu nos notes d'analyse de lecture. J'ai eu 61 %. J'étais quand même contente d'avoir passé. J'ai quand même économisé du temps en ne lisant pas le livre. Mais Marie-Claude m'a fait venir après la classe pour me dire que c'était une note inacceptable dans le cours de français enrichi et blablabla.

Elle m'a dit que je n'avais pas l'air d'avoir lu le livre au complet parce que mon analyse n'était appuyée par aucun exemple. Puis, elle a ajouté :

– On dirait que tu n'as pas compris qu'Amalthya était la seule personne qui pouvait voir que le dragon était en fait un chevalier dont l'apparence avait été transformée à cause d'une ancienne prophétie. Ton analyse est trop générale et un peu étrange.

Retour à aujourd'hui, 16 h 18

Moi : Tu m'as dit que la fille aimait un dragon et ce n'était même pas un dragon !

Tommy : Je ne savais pas, moi, que tu ne le lirais pas.

Moi : Penses-tu vraiment que ça me tentait de lire un livre d'un auteur qui parle de chevalier par métaphores et qui réécrit *La belle et la bête* à sa façon ?

Tommy : Ben… Si tu le lisais, tu verrais que ce n'est pas vraiment ça.

Moi : ARRRRGH !

Jeudi 18 mai

Miss Magazine

TEST : ES-TU PARESSEUSE ?

Es-tu du genre à passer ta vie sur un Lazy Boy ou es-tu plutôt du genre à prendre le taureau par les cornes et à défoncer les barrières ? Fais le test pour le savoir.

1. PENDANT LE COURS DE MATHS, TON PROF TE POSE UNE QUESTION À L'IMPROVISTE. COMMENT RÉAGIS-TU ?

a) Tu y réponds de ton mieux.

(b) Tu détestes qu'on te coupe la parole ! Tu étais justement en train d'organiser un party avec ta *best*.

c) Quoi ?! Il t'a posé une question ? Tu n'as rien entendu.

Parfois, dans ces tests, aucune des réponses ne nous convient, alors il faut choisir celle qui est la plus près de la vérité…

2. IL N'Y A PLUS DE PÂTE DENTIFRICE DANS LE TUBE. QUE FAIS-TU ?

a) Tu cours illico à la pharmacie. En plus d'avoir du dentifrice, ça te fera faire de l'exercice !

b) Tu *squeezes* le tube de toutes tes forces pour faire sortir le trop peu de pâte dentifrice qu'il reste.

c) Tu te souviens qu'il te reste de la gomme dans ton sac à main.

Totalement mon genre !

3. TU REGARDES UN FILM BIEN CONFORTABLEMENT ASSISE DANS TON SALON LORSQUE TA *BEST* T'APPELLE POUR TE DIRE QU'ELLE A BESOIN D'AIDE POUR REFAIRE LA DÉCO DE SA CHAMBRE. QUE RÉPONDS-TU ?

a) Tu seras là dans dix minutes.

b) Avant d'y aller, tu veux juste voir l'extrait où Chad Michael Murray embrasse Hilary Duff.

c) Tu lui dis que tu as un virus très contagieux qui t'empêche de sortir de la maison.

J'aime bien voir Chad Michael Murray embrasser Hilary Duff (même si je préférerais qu'il embrasse quelqu'un d'autre, en l'occurrence moi).

4. TU BOIS LA DERNIÈRE GOUTTE DE LAIT. EST-CE QUE TU REMPLACES LE LITRE ?

a) C'est la règle !

(b) Tu ne bois jamais la dernière goutte de lait, tu en laisses toujours un peu pour que ce soit la personne suivante qui finisse le litre.
c) Tu fais semblant de rien et tu développes une intolérance psychosomatique au lactose pour n'avoir jamais à accomplir cette tâche.

Hihihi ! je fais toujours ça !!! Ils m'espionnent ou quoi ??? Finalement, c'est toujours ma mère qui a l'air d'avoir fini le lait ! Ha ! ha ! ha !

Note à moi-même: Cacher ce test à ma mère pour qu'elle ne découvre pas mes trucs finement élaborés au fil des ans.

5. TU AS UN DEVOIR À REMETTRE POUR DEMAIN, QUE FAIS-TU ?

a) Tu le termines au plus vite pour avoir le maximum de temps libre par la suite.
b) Oups ! Tu as oublié ton cahier, mais tu recopieras le devoir de ton amie en deux temps trois mouvements avant le cours de demain.
(c) Tu le commences dès que tu as réussi le dernier tableau de ton jeu vidéo.

J'aimerais bien répondre « a », mais ça ne serait pas honnête de ma part. Et « b » ne tient pas compte du phénomène « leadership » de savoir déléguer…

6. TES PARENTS TE DEMANDENT DE FAIRE LA VAISSELLE. COMBIEN DE TEMPS CELA TE PREND-IL ?

a) Le temps de mettre la vaisselle dans le lave-vaisselle, quelle question !
b) Tu vends l'idée à tes parents d'acheter de la vaisselle jetable.
c) Tu repousses le moment de faire cette tâche ignoble jusqu'à ce qu'il y ait du moisi sur ladite vaisselle pour avoir une réelle bonne raison de la nettoyer.

Je n'attends pas qu'il y ait du moisi, quand même…

7. UNE LETTRE ARRIVE CHEZ TOI EN PROVENANCE DE TON ÉCOLE. QU'EST-CE QU'ON Y RETROUVE ?

a) Une mention honorable. Tu as remporté la bourse d'études remise à la meilleure élève de l'année.
b) Une invitation à participer à une activité parascolaire.
c) Un autre rappel de la bibliothèque qui exige que tu rendes le livre que tu as emprunté l'an dernier.

Euh… oui… Par rapport à ça… Je ne sais pas trop ce qui est arrivé. J'avais emprunté un livre à la bibliothèque et, le livre en question, je l'ai perdu dans ma chambre. Ce n'est pas vraiment de ma faute. Il a disparu. C'est un phénomène paranormal, j'en conviens. Mais ça peut arriver. J'ai tenté de l'expliquer à la bibliothécaire, mais elle est de très mauvaise foi. La preuve, c'est qu'elle continue à envoyer la même lettre aux trois mois.

8. ASCENSEUR OU ESCALIER ?

a) Escalier, c'est meilleur pour la santé.
b) Escalier, si l'ascenseur est en panne.
c) Tu ne ressens pas le besoin d'aller dans un endroit dépourvu d'ascenseurs fonctionnels.

Bon, la personne « a » m'énerve au plus haut point ! Non, mais pour qui elle se prend, Miss-parfaite-qui-gagne-des-bourses-d'études-et-qui-prend-les-escaliers-parce-que-c'est-bon-pour-la-santé ? Tant qu'à faire, le magazine ne devrait pas s'appeler *Miss Magazine*, il devrait carrément s'appeler *Fille-a-super-parfaite Magazine !*

9. TU T'ES TROUVÉ UN TRAVAIL À TEMPS PARTIEL ET, APRÈS UNE JOURNÉE DE TRAVAIL, TES PARENTS TE DEMANDENT DE FAIRE LE MÉNAGE DE TA CHAMBRE. QUE RÉPONDS-TU ?

a) « C'est comme si c'était fait ! »
b) « Wo ! je travaille maintenant, j'ai mes propres lois ! »
c) « Un travail à temps partiel ? Pouah ! »

C'est juste que je ne veux pas répondre « c »…

10. LORS D'UNE CHICANE AVEC QUELQU'UN, COMMENT RÉAGIS-TU ?

a) Tu provoques illico une discussion pour arranger les choses.
b) Tu envoies une lettre d'excuses.
c) Tu l'évites comme la peste.

En fait, ça dépend des personnes… J'ai répondu en pensant à Nicolas. Mais ça ne se passe pas nécessairement comme ça avec toutes les personnes de ma vie.

UNE MAJORITÉ DE « A »
ÉNERGIQUE

Tu n'es pas paresseuse du tout, au contraire ! Tu es peut-être même un peu trop occupée. Il faudrait que tu apprennes à te reposer et à trouver du temps pour toi. La fable *La cigale et la fourmi* semble avoir eu beaucoup d'effet sur toi. Et tu ne veux surtout pas être celle qui laisse passer des opportunités. C'est bien, car tu mords dans la vie et tu profites de chaque instant. Malgré tout, tu le fais avec un peu trop de sérieux. N'oublie pas qu'il est également important d'avoir du plaisir. Accorde-toi quelques minutes de repos chaque jour, sinon tu vas exploser !

Ah ! parfaite pas si parfaite, hein ? Hé ! hé ! Elle se l'est fait dire carré.

*UNE MAJORITÉ DE « B »**
PROCRASTINATRICE

Eh oui ! tu es paresseuse, mais tu as tout ce qu'il faut en toi pour t'en sortir. Tu as tout le potentiel pour être une fille énergique qui réussit tout ce qu'elle entreprend, mais tu trouves toutes sortes de raisons pour repousser tes corvées. Si tu mettais toute ton énergie à accomplir ce que tu as à faire au lieu de l'utiliser à trouver le moyen de t'en sortir, tu pourrais avoir beaucoup de succès.

Allez, un peu de nerf ! La lune, c'est beau dans le ciel, mais pas dans ta tête ! Si tu te concentres un peu plus, tout ira beaucoup mieux.

Pfff ! Rapport ?!?

UNE MAJORITÉ DE « C »
PARESSEUSE

Tu as réussi à lire ce test jusqu'au bout ? Voilà qui est surprenant ! Même si tu es heureuse comme tu es, il faudrait que tu mettes un peu plus d'efforts dans ce que tu entreprends. En te bottant le derrière chaque jour, tu verras qu'il est possible d'atteindre ses buts. Et si tu atteins un seul but, tu trouveras ensuite la motivation pour en atteindre d'autres. Il ne faut commencer que par un ! Tu n'as qu'à te répéter : « Je ne suis pas une marmotte » et tout rentrera dans l'ordre !

Ce n'est peut-être pas parce que la fille était paresseuse qu'elle n'a pas lu le test jusqu'au bout, mais peut-être parce que ce test est TOTALEMENT PAS RAPPORT ET TRÈS MAL DOCUMENTÉ !!!

20 h 01

Je réfléchis.

20 h 03

Je réfléchis en mangeant des M&M.

20 h 05

Paresseuse, moi ?!??!?!!!!!

20 h 07

Je réfléchis en mangeant des Nibs et des M&M.

20 h 08

Si le *Miss Magazine* veut la guerre (ou, moins intense, que je me désabonne), il n'a qu'à le dire ! (Si tant est qu'il puisse parler, ce qui n'est pas le cas, quoiqu'un magazine qui pourrait parler, ça, ce serait très populaire, hum...)

20 h 10

Ma réflexion a bifurqué sur le fait que le mélange de goût étrange des Nibs et des M&M est plus intéressant que ce que l'on pourrait croire.

20 h 11

Refocus sur le véritable but de ma réflexion : ma supposée paresse.

20 h 12

Pfff ! Franchement ! Le *Miss Magazine*, parfois, est *tellement* de mauvaise foi !

20 h 13

J'arrête de manger.

20 h 16

Ma mère est en train de regarder un téléroman en pyjama.

Moi : M'man, trouves-tu que je suis paresseuse ?

Ma mère (qui se détourne de la télé) : Ben… puisque tu le demandes… oui.

La Terre entière est antimoi !

Vendredi 19 mai

Point culminant de ma journée : j'ai essayé de me faire un sandwich au jambon. Puis, Sybil, surgie de nulle part, a sauté sur le comptoir. En glissant sur celui-ci, elle m'a pris ma tranche de jambon des mains avant que je la place dans mon sandwich, et elle a atterri par terre, ayant sûrement mal calculé sa trajectoire. Un peu sonnée, elle a secoué sa tête et s'est sauvée avec ma tranche de jambon qu'elle est allée manger un peu plus loin, dans un coin de la cuisine.

Même si ma mère ne veut pas qu'on lui donne de notre nourriture, j'ai pensé qu'elle s'était donné tellement de mal qu'elle méritait que je la lui laisse, sa tranche de jambon…

8 h 12

Je suis peut-être un peu paresseuse.

8 h 14

En sortant de l'autobus.

Je vais leur prouver, moi, au *Miss Magazine*, que je ne suis pas paresseuse et que, quand j'ai une idée dans la tête, je ne l'ai pas dans les pieds! Je suis prête à me battre pour mes convictions!

But ultime (statut: très urgent): Me trouver des convictions.

Samedi 20 mai

J'avais passé une belle journée avec Kat. On voulait aller à l'arcade, mais, finalement, on a fait un peu de vélo dans le parc. Pas de peur de croiser des indésirables, mais parce que l'exercice est vraiment très bon pour la santé et pour aérer le cerveau (et développer une nouvelle palette d'odeurs pour la mémoire olfactive). Bref, tout ça pour dire que j'avais passé une belle journée et tout a été gâché quand je suis revenue chez moi et que François Blais était là.

17 h 34

Ma mère a fait du pâté chinois.

18 h 07

Je suis contente (faux) que ma mère parte en voyage (archifaux) avec François Blais (alias Diabolo-Man). Ça lui fera du bien (Qu'est-ce que j'en sais?). Le seul problème, c'est que F.B. est gai. Je viens de le découvrir à l'instant grâce à sa, disons, sortie de garde-robe qu'il vient de faire pendant qu'on mangeait. Il a même fait ça la bouche pleine (assez impoli).

Tout a commencé quand j'ai vu que François Blais portait des bas blancs avec des jeans (Ha ! ha ! ha ! Quétaine ! En langage de mode, le *Miss Magazine* appellerait ça un « fashion faux pas ») et que je lui ai lancé :

– C'est la mode, les bas blancs avec des jeans.

F.B. : Ha ! ha ! ha ! ha ! Je n'ai pas eu le temps de faire le lavage ! (Et c'est là que, sorti de nulle part, après avoir mis dans sa bouche une grosse bouchée de pâté chinois, il a tout avoué.) Ouh, csh'est cshaud. Jh'aime Thony Roni.

Moi : Thony qui ?

AH-HA ! Quel soulagement ! Wow ! Fiiiiiiou ! Je le savais qu'il n'était pas fait pour ma mère ! Il est gai !!!!!!!!!!!!!!!!!!

Ça devait lui peser depuis longtemps pour qu'il sorte ça, comme ça, sans crier gare.

Je me demande si ma mère est au courant.

Je me demande si *sa* mère est au courant.

Je me demande si le voyage sera finalement annulé.

Peut-être qu'il va demander à ma mère de transférer ses billets d'avion au nom de son chum, Thony Machin, sans doute un bel Italien qui était tanné que son chum vive dans un, disons, mensonge quotidien, et qui sera content, ce soir, que François ait tout avoué et qu'il soit maintenant prêt à vivre librement leur amour au grand jour.

Ma mère sera sûrement déçue, mais vaut mieux que ça se fasse maintenant, avant qu'elle ne soit trop attachée à lui.

Ou peut-être que, par compassion pour ma mère et pour se faire pardonner de lui avoir menti sur son orientation sexuelle, il transférera *son* billet à *mon* nom et que j'irai passer l'été en France.

WOUHOU !!!!!!!!!!! VIVE LES GAIS !!!!!!!!!!

F.B. : Hahahaha ! Elle est bien bonne, celle-là ! « Thony qui ! » J'ai dit : « J'aime *ton* ironie. » L'ironie, c'est une façon de dire son opinion en disant le contraire de ce que l'on pense. Quand tu as dit : « C'est à la mode, des bas blancs », tu voulais dire, au fond : « C'est laid, des bas blancs. »

Pfffff ! Il se pense bon, lui, avec sa définition ! Mais je sais très bien ce qu'est l'ironie ! J'avais juste mal *entendu*.

18 h 21

Pendant que je me lave vigoureusement les oreilles dans la salle de bain.

Ma mère : J'aimerais ça que tu sois plus polie avec François.

Moi : Je suis très polie !

Ma mère : Plus… chaleureuse, alors ?

Comment être chaleureuse ? Ma mère était enfin bien. Et là, quand François Blais va montrer sa véritable nature de démon démoniaque, ma mère va avoir encore de la peine et tout va redevenir comme avant, c'est-à-dire qu'elle aura des rougeurs dans le cou avant de pleurer, qu'elle sera zombie, moins complice avec moi, qu'elle va m'empêcher de dormir le soir parce qu'elle va pleurer, sans compter qu'elle va recommencer à capoter sur le ménage et que je vais redevenir son esclave.

Moi : La vie serait plus simple si tout le monde était gai !

Ma mère : Qu'est-ce que tu veux dire par là ?

Moi : Je me comprends…

Ma mère : Ce serait le *fun* que les autres te comprennent aussi. Ces temps-ci, c'est assez difficile, je t'avoue.

Moi : Ouain, c'est l'histoire de ma vie.

Ma mère : Je veux juste que tu me dises que tu vas essayer.

Moi : D'être moins incomprise par le reste de l'humanité ?

Ma mère : D'être plus chaleureuse avec François.

Moi (après une longue inspiration) : Je vais essayer.

Ma mère : Merci.

Dimanche 21 mai

J'ai l'impression de connecter, spirituellement parlant, avec les pics-bois. Parce que tout ce que j'aurais envie de faire en ce moment, c'est de me pogner un arbre et de planter mon bec dedans jusqu'à ce qu'il y ait un trou énorme, voire jusqu'à ce que l'arbre tombe par terre. Donc, beaucoup de travail en vue (non cérébral puisque répétitif) et constant (la stabilité d'esprit étant une espèce de but zen recherché grâce au travail de pic-bois).

Lundi 22 mai

Je me suis trouvé des convictions. Mais il se trouve que mes convictions n'ont pas semblé plaire à sœur Rose ni à monsieur Beaulieu.

15 h 57

Au bureau de Denis Beaulieu, mon directeur.

D.B. : Aurélie, Aurélie, Aurélie…

Moi : Monsieur Beaulieu, monsieur Beaulieu, monsieur Beaulieu…

D.B. : Tu veux jouer au plus fin avec moi ?

Moi : Non.

D.B. : Ne sois pas arrogante, alors… Écoute, Aurélie, je t'avais dit que si tu n'améliorais pas tes résultats scolaires, il y aurait des conséquences.

Moi : Mais…

D.B. : Marie-Claude m'a dit que tu n'avais pas lu un livre dont tu devais faire l'analyse.

Moi : C'est son point de vue.

D.B. : En sport, Manon trouve que tu n'es pas toute là.

Moi : Faire du sport ne fera pas de moi la première ministre du Québec.

D.B. : C'est ce que tu veux faire plus tard ?

Moi : Non… C'est juste pour dire que même si j'avais cette ambition, ça ne changerait rien.

D.B. : En anglais, il y a beaucoup de travail à faire.

Moi : Si ça ne sert qu'à regarder des films, je préfère la plupart des voix doublées… Alors, je n'ai pas de, disons, motivation, genre.

D.B. : Et puis, la semaine dernière, qu'est-ce qui s'est passé dans ton test de géo ?

Moi : Ah ! ça ! Je vais vous le dire ! Les questions étaient trop difficiles !

D.B. : Aurélie… Cet après-midi, tu as dépassé les bornes avec sœur Rose.

Cet après-midi, cours de bio

En bio, sœur Rose a dit qu'elle avait une « surprise » pour nous. Elle a vraiment dit le mot « surprise » de façon excitée, comme si c'était quelque chose de très cool. Mais voilà qu'elle sort une vingtaine de souris, qu'elle avait « endormies » (ce sont ses termes) avec du chloroforme. Puis, elle a dit qu'on devait les disséquer et, ainsi, observer leurs organes. Il y avait une souris pour chacune des filles de la classe.

J'étais tellement outrée. Je n'ai qu'un mot pour ça : BARBARIE ! Je n'ai pas été capable de contenir ma colère et je suis allée dire à sœur Rose que ma religion m'interdisait de tuer des souris. Elle m'a demandé de quelle religion je faisais partie et j'ai dit, comme ça, un peu bouche bée, que c'était le végétarisme. Elle m'a répondu que ce n'était pas une religion, j'ai dit que je le savais, mais que j'étais bouleversée. Elle m'a dit que je pouvais sortir de la classe. Ce que j'ai fait, en emportant la souris qui m'était destinée, et je suis allée l'enterrer sur le terrain de l'école, devant les fenêtres du laboratoire de sœur Rose. Petit rituel (normal, selon moi, quand quelqu'un décède) qui n'a pas plu à sœur Rose, qui a fermé les « beaux rideaux doublés » du local parce que je dérangeais la classe.

Retour au bureau de Denis Beaulieu, 15 h 59

Denis Beaulieu : La dissection de souris est quelque chose qu'on fait depuis bon nombre d'années. Tu t'es montrée un peu insolente avec sœur Rose.

Moi : Monsieur Beaulieu, je crois que je ne suis pas l'élève que vous pensez que je suis…

D.B. : J'ai senti que tu faisais du progrès, mais là, on se dirige tout droit vers un échec dans plusieurs matières, si on continue comme ça.

Moi : Si *je* continue comme ça. *Vous*, vous avez visiblement passé tous vos examens, puisque *vous* êtes directeur.

D.B. : D'ici la fin de l'année, j'aimerais que tu ne fasses plus d'esclandre de ce genre, on se comprend ?

Moi : C'est quoi, un esclandre ?

D.B. : Un événement comme aujourd'hui, avec les souris. Puis, j'ai convaincu les profs de plusieurs matières de faire des cours de rattrapage pour les élèves en difficulté. Tous les midis, jusqu'aux examens de fin d'année, c'est ce que tu vas faire.

Moi : Nooooon ! J'ai besoin de ce temps libre !

D.B. : Désolé. J'ai cru que tu serais capable toute seule, mais ça n'a pas fonctionné. Il est temps de travailler, maintenant.

19 h

Vraiment frue. Dans ma chambre. En total manque de chocolat.

19 h 03

Améliorer ses résultats scolaires, est-ce vraiment la seule chose qui compte dans la vie ?

19 h 05

Selon monsieur Beaulieu : oui. Selon ma mère : oui.

19 h 07

Ma mère vient d'entrer dans la maison. J'entends ses pas se diriger tout droit vers ma chambre. Elle entre sans frapper (Grouaaaaarrrrrrr ! Combien de fois il va falloir que je lui dise de le faire ?), elle a sa mallette de travail et un manteau.

Ma mère : Ça va, ma puce ?

Moi : À partir d'aujourd'hui, je ne réponds plus au nom de « ma puce ». Une puce, c'est laid ! C'est un parasite ! qu'on élimine avec des shampoings spéciaux ou des vaporisateurs ! Ça veut dire que, pour toi, je suis un parasite ! qui pique ! Et que tu veux m'éliminer de ta vie !

Ma mère : Je ne veux pas t'éliminer de ma vie, qu'est-ce que tu racontes ?

Moi : Ben arrête de me traiter de parasite !

Ma mère s'assoit sur mon lit.

Ma mère : Denis Beaulieu m'a appelée aujourd'hui… Je sais ce qu'il t'a demandé de faire.

Moi : Obligée !

Ma mère : Denis Beaulieu est *sweet* avec toi, je trouve.

Moi : T'es de son bord ? Alors, tu me prends vraiment pour un parasite ?

Ma mère : Mais non ! Je suis de ton bord, et lui aussi ! Il fait ça pour t'aider. Pour que tu aies de bons résultats.

Moi : Est-ce que c'est la seule chose qui compte dans la vie ?

Ma mère : Non.

Moi : On dirait !

Ma mère : C'est quand même important… C'est donc ça qui te tracasse ces temps-ci ?

Je pourrais lui faire toute une liste de choses qui me tracassent. Mais je m'abstiens.

Moi : Denis Beaulieu gâche mon existence ! C'est rendu qu'aller à l'école me stresse ! J'ai l'impression de ne jamais rien faire de correct !

Ma mère : Mmmm… Je comprends. C'est comme si tu mets la table et qu'après avoir tout mis en place, tu mets un chapeau et qu'ensuite, je te dis: «Ah! il y a un chapeau!»

Moi: Euh... Hein?

Ma mère: C'est comme si t'avais mis la table et que tu avais mis un chapeau...

Moi: Ouain... pis?

Ma mère: Et que je te disais seulement que la seule chose qui ne fonctionne pas, c'est le chapeau.

Moi: Qu'est-ce que ça dérange si je mets un chapeau pendant que je mets la table?

Ma mère: Non, tu ne mets pas le chapeau sur ta tête, sur la table.

Moi: Je ne comprends pas.

Ma mère: Dans le fond, tu aimerais quand même qu'il te dise que tu as bien nettoyé la table, que tu as mis une belle nappe, etc.

Moi: Ben... je ne tripe pas tant que ça sur les nappes.

Ma mère: C'est une métaphore. Dans le fond, tu aimerais qu'il te dise ce qui fonctionne au lieu de te dire ce qui ne fonctionne pas.

Moi: Ouain...

Ma mère: Tu sais, tu as le droit de le dire, ça, de l'exprimer. Lui, son travail, c'est de guider les élèves. Et puis, je suis là, moi aussi, si tu as besoin d'aide.

Moi: Je n'ai pas besoin d'aide! J'aurais plutôt besoin d'une greffe de cerveau.

Ma mère: Bon, arrête ça, ma petite parasite!

Et elle m'ébouriffe les cheveux.

Moi: Arrêêêêêête!

Ma mère: Qu'est-ce que tu as mangé pour le souper?

Moi: Du ragoût de boulettes en conserve.

Ma mère: Oh, je m'excuse d'être rentrée tard, ma pu…

Je la regarde avec du feu dans les yeux.

Ma mère (qui continue): … ma belle princesse. J'ai été retenue par une réunion.

Finalement, je commence à être douée pour la pyromanie oculaire et autres formes de télékinésie.

19 h 26

Avant de sortir de ma chambre, elle m'a dit:

– Alors, comme ça, tu aimes beaucoup les souris, hein?

Moi: C'est une question de… principes.

Ma mère: Je comprends…

Moi: C'est vrai?

Ma mère: Oui.

Surprenant.

Mercredi 24 mai

Séance d'information (assez inutile) de la part de (jeunes) policiers (que Kat trouvait beaux) venus parler de la violence. Et de l'importance de la dénoncer quand on en est témoin. Ils ont terminé la conférence (qui était accompagnée de scènes de théâtre vraiment quétaines) en disant:

– Si jamais vous êtes témoins d'un crime ou que vous vous sentez en danger, appelez le 911.

Ils nous ont remis un dépliant rempli d'informations et ils ont conclu en disant :

– Afin de bien cibler nos patrouilles, optimiser le succès de nos enquêteurs et ainsi…

C'est là que j'ai arrêté d'écouter.

N'importe quoi pour manquer un cours est super. Surtout si ça fait de nous un citoyen bien informé. (La dernière phrase n'étant pas de moi, mais la dernière réplique – quétaine, je le répète – du « spectacle ».)

Midi

Grommelle. Grommelle. Grommelle. Suis obligée d'étudier. Presque pas le temps de manger.

Vendredi 26 mai

Soirée pyjama chez Kat. Après avoir joué au Skip-Bo, on se couche dans son lit et on mange du pop-corn en écoutant de la musique qu'on n'entend presque pas.

Moi : As-tu hâte à ton camp d'équitation ?

Kat : Oui, mais… j'ai… oh, tu vas me trouver niaiseuse !

Moi : Ben non !

Kat : Je ne l'ai pas dit avant, mais… Ça me frustre de penser que Truch a peut-être déjà une blonde, alors que moi, je n'ai rien.

Moi : Rien… à part David Desrosiers.

Kat : Ouain… Chenille à poil, plus petit que moi. Ça ne punche pas tellement si j'arrive dans un party avec lui. Truch va penser que je me pogne… mon petit cousin !

Moi : Oh, ouach !

Kat : Ha ! ha ! ha ! Genre totale désespérée !

Moi : Ha ! ha ! ha ! ha ! ha ! T'sais, tu n'as pas ben ben de chance avec les David, tu devrais peut-être essayer les… Jonathan.

Kat : Naaaaa ! T'es twit !

Kat effleure la photo d'un cheval accrochée à son mur.

Kat : Ça va être la première fois depuis qu'on se connaît qu'on passe l'été séparées…

Moi : Bon, enfin ! Ça me faisait quasiment de la peine que tu ne réagisses pas plus que ça !

Kat : Tu sais quoi ? Quand Truch m'a laissée, j'ai brûlé le nounours qu'il m'avait donné, et ça m'a fait du bien. J'ai l'impression que t'aurais besoin d'un rituel d'adieu de ce genre.

Moi : Pour t'oublier pendant l'été ? On a Internet, on pourra s'écrire, t'sais.

Kat : Non, pour oublier Nicolas et…

Moi : Meh, c'est quoi le rapport de Nicolas ?!? Je l'ai déjà *tellement* oublié. C'est quasiment comme s'il n'avait jamais existé.

Kat : Hu-hum…

Moi : Bon, Kat, tu peux te faire tous les scénarios que tu veux à mon sujet, je n'ai pas le temps pour ces niaiseries-là, ça t'a pris du temps pour oublier Truch, je te respecte, tu n'as peut-être pas la capacité de passer à autre chose, mais c'est différent pour moi, j'ai totalement oublié Nicolas et là, il faut que je me concentre sur l'école parce que j'ai beaucoup de stress et que…

Kat : Sais-tu quoi ?

Moi : Non.

Kat : Tu serais totalement crédible si t'avais respiré pendant que tu parlais.

AAAAAAAAHHHHHHH !

Est-ce qu'il n'y a que moi de lucide dans mon entourage ? J'ai. Ou. Bli. É. Ni. Co. Las. Bon !

Moi : Bon, on est trop hors sujet. Tu parlais de David Desrosiers, tu te souviens ? Qu'est-ce que tu vas faire avec lui ?

Elle regarde une affiche de Simple Plan.

Kat : Mautadit, c'est plate ! Il a le plus beau nom du monde et c'est un twit fini. Je vais le *flusher*… Ooooh ! j'haïs ça, ces situations-là ! Mais t'as raison : c'est fini le niaisage !

Elle prend le téléphone et compose un numéro.

Kat : Allô ? David, s'il vous plaît. David ? C'est Kat. Toi et moi, ça ne marchera pas. Bye.

Et elle raccroche avant même qu'il ait pu dire quoi que ce soit, et on rit.

Moi : Hon ! t'as pas été cool !

Kat : Bof… Hé, j'ai une super idée pour te changer les idées !

Moi : Je te dis que je n'ai pas besoin de me faire changer les idées !

Kat : Bon, ben… une super idée, vu qu'on entrera bientôt dans le *rush* des examens, qu'on n'aura pas beaucoup de temps pour être ensemble et qu'on passera une partie de l'été séparées, d'abord !

Moi : C'est quoi, l'idée ?

Kat : Demain, on va à La Ronde, wouhou !!!!!!!!!!!!!!!

Julyanne entre en criant : « Moi aussiiiiiii !!! »

Kat : Vas-tu me laisser tranquille deux secondes, toi ?

Elle se retourne vers moi et chuchote entre ses dents dans mon oreille :

– J'ai vraiment hâte de passer l'été loin d'elle.

Moi (en empruntant le même ton) : Ouain, elle me fait presque croire que passer un été chez grand-mère n'est pas si pire que ça…

Samedi 27 mai

Kat veut qu'on arrive à La Ronde avant l'ouverture pour pouvoir profiter de notre journée au maximum. Hier soir, après avoir demandé la permission à ses parents, et que j'ai appelé ma mère pour savoir si elle était d'accord aussi, Kat a programmé son réveille-matin à sept heures. Ce matin, on s'est levées en vitesse, je suis partie chez moi et elle m'a dit qu'elle viendrait me chercher à huit heures quarante-cinq avec son père.

8 h 45

Je comprends ce que ma mère veut dire quand elle dit que je devrais mettre mes vêtements sur des cintres au lieu de les laisser en boule par terre. J'avoue que, dans des moments comme maintenant, ce serait plus pratique et que ça me faciliterait la tâche pour faire mon choix.

8 h 50

Le père de Kat klaxonne. J'ai choisi des vêtements au hasard et j'ai mis (ma mère a mis) des trucs utiles (selon son opinion) dans mon sac à dos, comme de la crème solaire et des barres tendres. Je prends mon sac en vitesse et je sors de la maison.

8 h 50 (et trente secondes)

Ma mère sort de la maison (en pyjama, quelle honte) et crie (en brandissant mon porte-clés dans les airs) :

– Aurélie !!! Ta clé !!!

Je sors de la voiture, je cours jusqu'à ma mère, et elle me donne ma clé en disant « Bonne journée, ma belle ! » et en m'embrassant sur la joue.

Je ne pars pas pour une semaine, quand même ! Je vais à La Ronde ! Pas besoin de faire tout un spectacle !

20 h 07

Je suis étendue sur mon lit, avec une serviette d'eau froide sur le front, et Sybil dans mon cou qui ronronne.

Tout s'est extrêmement mal passé. Et j'ai le cœur complètement chaviré. Et ironiquement (comme quoi je connais ce mot), c'est à cause du bateau pirate.

Aujourd'hui, à La Ronde, de 9 h 32 à 16 h 57

Tout avait bien commencé. Le père de Kat nous a laissées à La Ronde assez loin pour que personne ne voie qu'on était avec un père. On a fait la file pendant une heure pour nos billets, mais on se racontait des potins de célébrités lus dans le *Miss*, alors ça passait le temps. Et puis là, quelque chose de vraiment bizarre est arrivé : j'ai commencé à voir Nicolas partout. En fait, une seconde, ça lui ressemblait, et la seconde d'après, je me rendais compte que ce n'était pas lui. Même un nain chauve m'a fait penser à Nicolas !

Il faut dire qu'il faisait très chaud. Plus chaud que je l'aurais pensé. Et qu'il y avait beaucoup de monde et que les files d'attente pour les manèges étaient in-ter-mi-na-bles.

Et tout à coup, après avoir fait plusieurs manèges, Kat et moi marchions tranquillement lorsqu'elle m'a dit :

– Hé, Au, regarde, c'est Nicolas là-bas !

Elle allait lever son bras pour lui faire salut, mais je l'ai retenu juste à temps et j'ai fait :

– Chuuuuuuuut !

Puis, je me suis retournée vivement et je l'ai vu. Il était un peu plus loin, donc pas directement sous mon nez (donc impossible à sentir), mais j'ai été tellement saisie de voir que c'était vraiment lui (et non le nain aperçu plus tôt) que j'ai pris Kat par le bras et je me suis dirigée tout droit vers le manège le plus proche, le bateau pirate. Kat disait : « Quoi ? Qu'est-ce qu'il y a ? » Il n'y avait pas de file, alors j'ai couru entre les barrières et je suis entrée dans le manège, suivie par Kat qui disait : « Cool, le bateau, c'est mon manège préféré ! »

Le gars qui s'occupait du manège nous a dit de nous dépêcher et nous sommes allées nous asseoir complètement en arrière du bateau, dans les places libres. Puis, au moment où le manège s'est mis en marche, Kat a levé ses deux bras dans les airs et elle a crié :

– Wouhouuuuuuuuuuu !!!

Moi (en me retournant vers elle) : Kat... Je ne me sens pas bien...

Kat (en redescendant ses bras) : Hein ? Quoi ?!? Respire tranquillement.

Moi : Ah-fuuuu, ah-fuuuu, ah-fuuuu...

Kat : Vas-tu être correcte ?

Moi : J'ai mal au cœur...

Kat (vers l'opérateur du manège, en gigotant ses bras dans les airs) : ARRÊTEZ LE MANÈGE !!!!!!! Respire, Aurélie.

Moi : Ah-fuuu, ah-fuuu, ah-fuuu…

Le bateau pirate va vers l'avant.

Kat : ARRÊTEZ LE MANÈGE !!!

Moi : Ah-fuu, ah-fuu, ah-fuu…

Le bateau pirate va vers l'arrière.

Kat : ARRÊTEZ LE MANÈGE !!!!!!!!!

Le bateau pirate va plus haut vers l'avant.

Moi (une main sur le cœur) : Ah-fu, ah-fu, ah-fu…

Kat : AAAAARRÊÊÊÊÊÊÊTEEZ LEEEEEEE MAAAAAAANÈÈÈÈÈÈÈÈGEEEEEEEE !

Le bateau pirate va plus haut vers l'arrière. Plus haut vers l'avant, plus haut vers l'arrière.

Aussitôt que le manège s'est immobilisé, j'ai couru jusqu'à la poubelle la plus proche et j'ai vomi. Kat est venue me rejoindre et m'a tenu les cheveux pendant que j'enfouissais la tête dans la poubelle.

Kat : T'as ben beau dire ce que tu veux, Aurélie Laflamme, je le savais que tu tripais encore sur lui.

Moi : Je supporte très mal les manèges, tu sauras !

Tête dans la poubelle. Buarp !

Kat : Ah ouain ? C'est Nicolas, là-bas.

Je sors précipitamment la tête de la poubelle.

Moi : Où ça ?

Kat : Ah !

Je vomis de nouveau. Buarp !

Moi : Tu trouves vraiment que c'est le bon moment pour te vanter ?

Kat : N'empêche que je le savais ! Je ne sais pas pourquoi tu fais ça !

Moi : J'ai trop mangé… trop de chocolat. La queue de castor au Nutella tantôt était de trop, je pense.

J'enfonce la tête une fois de plus dans la poubelle. Buarp !

Kat : Je ne parle pas de ça ! Je ne comprends pas pourquoi tu fais ça. On en parlait, Tommy et moi, l'autre jour et…

Moi : Vous en parliez, Tommy et toi ? Vous vous chicanez tout le temps, sauf quand vous parlez dans mon dos ?

Moi : On ne se chicane pas tout le temps ! En tout cas, c'est clair que tu tripes encore sur Nicolas.

Moi : Penses-tu qu'il me voit en ce moment ?

Kat : T'en fais pas, depuis tantôt que je surveille…

Je replonge la tête dans la poubelle.

Moi (en levant la tête) : Merci, t'es ma meilleure amie, tu le sais, hein ?

Buarp !

Kat : Ark ! T'es dégueulasse… Ça me donne le goût de vomir, moi aussi…

Je croyais que Kat allait vomir par compassion (c'est sans doute ce que j'aurais fait), mais elle a tenu le coup. Je n'ai jamais été capable de me rendre aux toilettes. Et j'ai vomi, comme ça, dans la poubelle, presque jusqu'à l'évanouissement. Un gardien de sécurité est venu voir si nous étions correctes et il a fait appeler ma mère, qui est venue nous chercher.

J'étais verte. Ma mère voulait me sauter dans les bras, mais elle a éprouvé de la répulsion, voire du dégoût (totalement compréhensible maintenant que je me suis regardée dans un miroir), en me voyant.

Retour à ce soir, 20 h 11

Cher 11 h 11, je sais très bien qu'il n'est pas 11 h 11, mais il s'agit d'un vœu très urgent, de la plus haute importance, style sécurité internationale. Et j'ai vérifié sur Internet, et à Vladivostok, en Russie, il est présentement 11 h 11, alors j'imagine que mon vœu fonctionnera, même s'il est 11 h 11 dans un autre pays, car personne ne m'a jamais spécifié que c'était une règle absolue qu'il soit 11 h 11 dans son propre pays pour que le vœu fonctionne. Alors, si ça ne fonctionne pas, il faudrait avertir les gens du mode d'emploi de votre entreprise de souhaits, sinon on deviendra tout mêlé ! En tout cas, je dis juste ça comme ça, pour améliorer le système, mais je tiens à dire que ce n'est aucunement de la colère contre vous ni une plainte. Si je voulais vraiment me plaindre, je me plaindrais du fait que vous n'avez pas aidé Lucas avec ses problèmes de cœur dans les Frères Scott, *comme je vous l'avais demandé l'autre jour, mais bon. Je vous pardonne de n'avoir pu réaliser ce souhait, j'imagine qu'ailleurs dans le monde vous avez eu plus urgent à faire. Bref, cher 11 h 11 de Vladivostok, en Russie, j'espère que Nicolas ne m'a pas vue. C'est tout ce que je demande. Ce n'est pas grand-chose. Les filles de cinquième secondaire peuvent gagner leur combat « uniforme », je peux même couler mon année, je ne veux juste pas que Nicolas m'ait vue* vomir, *c'est tout. Merci (*spaciba, *dans votre langue).*

Juin

Une vraie valise

Samedi 3 juin

Simple. Très simple. Je vais me faire opérer le nez. Je me sens bien et totalement remise de ma rupture avec Nicolas. À part ce léger détail de ma mémoire olfactive (qui se réglera aussitôt que j'aurai convaincu ma mère des bienfaits d'une légère intervention chirurgicale), mais c'est totalement en dehors de mon contrôle, c'est l'être humain qui est fait comme ça. Confirmé par la biologie.

11 h 01

Ma mère est assise dans le salon et elle est au téléphone. Je tourne autour d'elle en marchant les mains dans le dos.

11 h 02

De ma main droite, j'enlève la peau du contour de l'ongle de mon pouce avec mon index et, de ma main gauche, je me tourne une couette de cheveux.

11 h 03

Ma mère met sa main sur le combiné et elle me dit :

– Est-ce que je peux faire quelque chose pour toi ?

Moi : Non, non… prends ton temps.

Ma mère (à son interlocuteur) : Écoute, je te laisse, on se reparle bientôt.

11 h 04

Ma mère raccroche et lève les yeux vers moi.

Ma mère : Qu'est-ce qui se passe, beauté ?

Moi : J'ai besoin de me faire opérer le nez.

Ma mère : Quoi ?!? Il est parfait, ton nez ! Tu as des complexes ?

Moi : Non ! mon nez est correct. Ben… il pourrait être un peu plus petit, évidemment. Et puis, l'os du côté gauche est un peu plus gros que l'os du côté droit et, parfois, j'avoue que je trouve que c'est un défaut de ne pas être… symétrique. Mais bon, ce n'est pas vraiment ça, le problème.

Ma mère : C'est quoi, le problème ?

Moi : Le problème, c'est que j'aimerais arrêter de sentir… des affaires.

Ma mère : Comme quoi ?

Moi : Surtout un *certain* assouplissant et une *certaine* sorte de gomme. Au melon, pour être précise. C'est en train de me rendre folle.

Ma mère : Mais arrête de les sentir, tout simplement ! On ne se fait pas opérer pour ça !

Moi : Oui, mais tu ne comprends pas ! C'est ma mémoire olfactive qui capote quand je respire ces choses-là ! C'est trop dur ! Alors, si j'arrête de pouvoir sentir ça, je vais pouvoir arrêter de penser à…

Ma mère : À quoi ?

Moi : À… Nicolas.

Espèce de cœur qui veut bondir hors de ma poitrine à toutes les deux secondes ! Je force mes yeux, pour les laisser ouverts et secs. Et je donne un petit coup de poing sur ma poitrine.

Ma mère : Oh, ma Pupuce !

Ma mère ouvre les bras, comme si elle voulait que j'aille m'y blottir. Mais je reste debout devant elle, sans réagir.

Moi : Qu'est-ce que je t'ai dit au sujet de me comparer à un parasite ?

Ma mère : C'est ça qui te chicote, ces temps-ci ?

Moi : Euh… 'scuse… Chicote ? Ça ne fait pas que me chicoter. Je veux me faire opérer pour effacer toute trace de lui dans ma mémoire. En fait, j'ai réussi. Je ne pense plus à lui. Et je me suis trouvé une passion et tout et tout, mais…

Ma mère : Ah oui, c'est quoi ?

Moi : Le ch… C'est personnel. Mais tout ça pour dire qu'il ne reste qu'une affaire à régler : mon problème nasal. Ou plutôt olfactif. J'ai appris en bio que la mémoire olfactive, c'est comme un genre de mémoire d'éléphant, mais dans le nez.

Ma mère : Je suis contente que tu t'intéresses à tes cours de bio, mais c'est non. Je sais que tu as de la peine, ma belle, mais il est hors de question que tu te fasses opérer le nez. C'était ton premier amour… Tu as bien le temps d'en avoir d'autres. Tu sais ce qu'on dit ? Un de perdu…

Moi : S'il te plaît… Si tu termines cette phrase, je crois que je vais devenir obèse.

Ma mère : Quoi ? Pourquoi ?

Moi : Parce qu'il n'y aura pas assez de chocolat dans le monde pour noyer ma peine !

Ma mère m'a lancé un regard semi-perplexe, semi-compatissant et elle m'a dit :

– Tu vas l'oublier, tu vas voir…

Moi : C'est les oreilles que tu devrais te faire opérer, toi ! Je ne *peux pas* l'oublier. À cause de mon *nez.*

14 h

Comment je me suis retrouvée là ? Comment je me suis retrouvée à quatre pattes dans ma garde-robe à faire le ménage ? Je ne sais pas. Oui, je sais. C'est parce que j'ai fait confiance à ma mère et que je me suis confiée. Et qu'est-ce qu'elle m'a répondu ? « Tu devrais faire le ménage. Quand on fait le ménage de sa chambre, on en fait dans sa vie. Mui mui mui… » Me confier à ma mère ne pouvait que me conduire à faire le ménage. Pour tout le monde, faire le ménage est la solution au désordre. Pour ma mère, faire le ménage est la solution à TOUT !

Hypothèse : Je suis sûre qu'elle m'a sorti la théorie de « faire du ménage dans sa vie » pour me manipuler ! Elle me prend carrément pour une esclave.

Hypothèse approfondie : Au moins, elle me considère intelligente parce qu'il faut qu'elle me sorte des théories débiles pour me faire faire ses tâches ménagères. Hum… Je suis une esclave respectée.

Dimanche 4 juin

Hier soir, ma mère m'a dit que c'était une bonne chose que j'aie décidé de faire le ménage. Elle m'a expliqué que, lorsqu'on ne le fait jamais, il peut y avoir des bibittes et que ce n'est pas bon pour la santé. Elle ne savait pas à quel point elle s'adressait au mauvais public ! Après ça, je n'osais plus approcher de ma garde-robe ni même de ma chambre. Les bibittes naissent du chaos ? Un genre de big bang de garde-robe ? Penser que, dans ma garde-robe, il y avait un nouveau monde, une société secrète, en pleine évolution à cause de mon désordre m'a, disons, un peu retardée dans ma tâche. Je n'osais plus y retourner. Mais, voyant que je regardais un film au lieu de continuer mon ménage, ma mère m'a un peu rassurée sur le plan des bibittes et ne m'a pas laissé le choix de continuer à faire ce que j'avais commencé parce que, même si je faisais le ménage, tout était plus bordélique qu'avant. (Comment c'est possible ? Je ne sais pas.)

10 h 20

Toujours dans ma garde-robe, en train de faire le ménage.

C'est fou ce qu'on peut en trouver des choses quand on fait le ménage. Je ne me souvenais même plus que j'avais un caniche rose fluo. Qui a bien pu m'acheter un toutou aussi laid ? Ouach ! J'allais le jeter, quand j'ai vu ses yeux. Bizarrement, j'ai l'impression que le fait que j'aie aussi peu de considération pour lui pourrait lui faire de la peine. Je le regarde et lui dis :

– Je suis désolée, Chien-rose-fluo-dont-je-ne-me-souviens-plus-du-nom, t'sais, toi et moi, ça n'a jamais vraiment cliqué. Personnellement, je préfère les toutous à poils plus doux qui ont l'air… moins bizarres. Pas que tu aies l'air si bizarre, je suis certaine que tu es intéressant, dans ta « différence », mais je pense qu'on avait un conflit de personnalité. Non… Arrête de me regarder avec ces yeux-là ! Je sais, c'est ma faute, je te juge juste à cause de ton poil, alors qu'en fait, je n'ai pas vraiment appris à te connaître. Mais t'auras sûrement une meilleure vie… au dépotoir.

10 h 22

Impossible de mettre le chien rose dans la poubelle. Il me fait du chantage émotif, on dirait. Il me regarde avec des yeux bizarres. Je décide de le mettre de côté.

Ma mère entre et me dit :

– À qui tu parles ?

Moi : Au chien rose fluo.

Ma mère : Ah ! C'était un cadeau de ta grand-mère Laflamme quand tu avais environ cinq ans.

Je savais. Ma grand-mère me déteste. Passer un mois chez elle sera horrible.

Ma mère : Alors ? ça fait du bien faire le ménage, hein ? Ça brasse les énergies.

Moi : Ben là… les énergies, ça se brasse ?

Ma mère : Bien sûr ! Hé, au lieu de mettre les toutous que tu ne veux plus à la poubelle, fais une boîte qu'on pourra donner à un organisme de charité.

10 h 32

Ah ! voici ma Barbie Mèches bleues ! J'ai toujours adoré cette Barbie, c'était ma préférée ! Je ne peux pas la donner. Je ne joue plus avec elle seulement parce que, « selon les normes de je-ne-sais-pas-qui », je suis rendue trop vieille... (Bon, c'est vrai que je suis trop vieille pour jouer à ça, mais quand même, la donner... je ne peux pas. J'ai plein de souvenirs avec elle.)

10 h 47

Le téléphone sonne. C'est Kat.

Kat : Est-ce qu'on va à l'arcade ?

Moi : Tu te souviens ? On a dit qu'on n'y allait plus ! Et puis, t'as un jeu de *Dance Dance* à la maison, maintenant.

Kat : Oui, mais personne ne me voit !

Moi : Je ne peux pas y aller tant que je n'ai pas réglé mon problème de... nez.

Kat : Ouain... je comprends.

Je la sens moqueuse, mais je n'y porte pas attention.

Moi : Puis, de toute façon, je fais le ménage de ma chambre. Et c'est un peu le bordel. On dirait que plus je fais le ménage, plus c'est le bordel. Hé, est-ce que t'avais la Barbie Mèches bleues, toi ?

Kat : Ouiiiii ! Une fois, en première année, j'avais prévu jouer à la Barbie à la récréation, mais à la place de ma Barbie dans mon sac, je n'ai trouvé qu'une figurine de la schtroumpfette. C'est ma sœur qui m'avait volé ma Barbie

Mèches bleues et qui l'avait remplacée par la schtroumpfette ! J'avais été tellement frue contre ma sœur !

Moi : HAHAHAHAHA ! J'imagine ! HAHA HAHAHAHAHAHA ! Elle est bonne, pareil !

Kat : Je te vends ma sœur à rabais ! Tu la veux ?

Moi : Si elle fait le ménage de ma chambre, oui.

11 h 01

Trop découragée par le bordel, ma mère a décidé de venir m'aider.

Elle prend un morceau de linge par terre et me dit :

– Ça, tu le gardes ?

Moi : Euh… oui. Place-le dans le tiroir, s'il te plaît.

Ma mère : Tu ne préfères pas le mettre sur ta tablette de garde-robe ? (Elle pose un regard circulaire sur ma chambre.) Il faudrait vraiment t'acheter de nouveaux meubles de chambre.

Moi : Non, je suis correcte.

Ma mère (tenant un autre morceau de linge) : Ça, tu le gardes ?

Je me retourne et regarde.

Oh ! mon Dieu !!!!!!!! Le vieux manteau carreauté !!!!!!!!!

Un certain samedi, sept ans plus tôt

J'étais assise bien tranquillement devant la télé lorsque mes grands-parents Charbonneau sont arrivés avec un cadeau. Le cadeau était bien emballé dans une super-boîte, avec un beau ruban rose, du papier violet et des petits papillons de toutes les couleurs. J'étais tout excitée à l'idée de voir ce qu'il y avait à l'intérieur ! Et qu'est-ce qu'il y avait à l'intérieur ? Le manteau carreauté. Rouge, jaune et brun. Laid. Affreux. En fait, il n'existe pas assez de synonymes pour décrire à quel point ce manteau était horrible ! Mes grands-parents, tout sourire, comme s'ils croyaient vraiment que j'allais triper sur le cadeau, m'ont dit :

– Tu l'aimes ?

Moi : J'aime beaucoup… la boîte.

Évidemment, je n'ai pas dit : « J'aime beaucoup la boîte », ç'aurait été très punché, mais je n'avais que sept ou huit ans, alors si, à quatorze ans (bientôt quinze), j'ai de la difficulté à avoir des réparties à brûle-pourpoint, à sept ans, ça devait être pire. En fait, je ne me souviens pas de ce que je leur ai répondu. J'ai sûrement dû dire que j'adorais ça. Ce serait plus mon genre. Je leur ai dit que j'aimais leur cadeau, pensant que, aussitôt qu'ils seraient partis, on pourrait le jeter à la poubelle.

Mais : non !

Ma mère, totale inconsciente, m'a dit – une fois mes grands-parents partis, alors je savais que ce n'était pas une affirmation seulement pour les faire se sentir bien de leur cadeau – : « Ça va te faire un bon manteau d'hiver, ça. »

Ça, je m'en souviens très clairement, elle a vraiment dit : « Ça va te faire un bon manteau d'hiver, ça. »

J'étais sciée !

J'ai fait une crise. Je lui ai dit que les jeunes de mon âge étaient sans pitié pour les gens qui portaient du linge laid. (J'étais déjà, à cette époque, pas très populaire en ce qui avait trait à mes vêtements.) J'ai tout expliqué à ma mère. Je lui ai dit que ma vie sociale serait détruite à jamais, etc. Pas dans ces mots-là parce que je n'avais pas autant de vocabulaire. Je n'étais pas encore en français enrichi. Et elle m'a dit, et je cite : « S'ils ne sont pas contents, qu'ils mangent du poil ! » Évidemment, cette phrase peut avoir l'air drôle, comme ça, quand on la répète. Mais elle ne l'est pas du tout quand elle est dite pour vous convaincre de ne pas avoir peur des méchancetés qu'on pourrait dire au sujet de votre MANTEAU CARREAUTÉ HYPER LAID !

J'ai pleuré. J'ai crié. J'ai supplié. Rien n'y a fait. Ma mère disait que c'était un manteau chaud et que c'était tout ce que ça prenait pour l'hiver. Qu'elle n'aurait certainement pas une fille superficielle qui s'habille en guidoune (elle a vraiment dit « guidoune ») seulement pour ne pas faire rire d'elle à l'école.

Vraiment, ma mère exagérait. Entre le manteau carreauté de bûcheron et la guidoune, il y a un mooooooonde. Mais ma mère ne semblait pas le voir.

Un peu plus tard, alors que je pleurais seule dans mon lit (à cette époque, Sybil aurait été très utile), imaginant toutes les railleries que j'entendrais tout l'hiver (« Aurélie s'habille en bûcheron », « Aurélie n'est pas à la mode »... bref, des affaires vraiment traumatisantes), mon père est venu me voir pour me dire qu'il avait convaincu ma mère de ne pas m'obliger à porter ce manteau. Il était d'accord avec moi, il n'avait jamais rien vu d'aussi laid ! (Il avait vraiment dit ça, il me semble, mais c'est flou, alors je ne sais pas si c'est lui qui avait dit ça, ou si c'était moi et que je le lui attribue maintenant.) J'avais serré mon père très fort dans mes bras (ça, je m'en souviens presque parfaitement). Puis, on avait rangé le manteau carreauté dans ma garde-robe et on n'en avait jamais reparlé.

Retour à aujourd'hui, 11 h 07

Ce manteau n'ira pas dans une boîte pour un organisme de charité. Ma bonne action sera de ne le donner à personne pour qu'aucun humain n'ait à vivre ce que j'ai vécu à cause de ce manteau.

Ma mère tient toujours le manteau en attendant ma réponse. Elle ne semble pas se souvenir de l'anecdote (pas surprenant). Puis, elle lance, avec une pointe d'excitation :

– Oh ! c'est tellement feng shui, ce qu'on fait là ! (Elle secoue le manteau.) Bon, tu le gardes ou pas ?

Moi : Maman, c'est *ma* chambre. Laisse-moi faire *mon* ménage. Tu me mélanges !

Une fois ma mère partie, je place le manteau là où il mérite de croupir pour le reste de l'éternité : dans la poubelle !

11 h 11

Cher 11 h 11, faites que ce manteau soit détruit ou brûlé. En passant, je ne voudrais pas abuser, mais avez-vous une politique de retour comme dans les magasins ? Si oui, est-ce qu'il faut que je passe par le 11 h 11 de Russie, là où j'ai envoyé mon souhait ? ou c'est valide dans toutes les succursales ? Bon, on va dire que oui. C'est que, l'autre jour, quand je vous ai dit que ça ne me dérangeait pas de couler mon année, j'ai peut-être un peu exagéré parce que j'étais sous le choc. Je réclame donc votre compréhension. Pourrais-je rectifier ce vœu, s'il vous plaît ? Je ne voudrais vraiment pas que Nicolas m'ait vue vomir, mais je ne voudrais VRAIMENT pas couler mon année… Merci.

20 h

J'ai terminé mon ménage. J'ai retrouvé plein de choses. Un coffret à bijoux avec une ballerine cassée, du baume pour les lèvres qui sentait les cerises et qui avait fondu (je ne sais pas pourquoi je le gardais), le livre de la bibli que j'avais perdu et tous mes anciens jouets. Ma mère m'a demandé de lui confier le sac à donner à l'organisme de charité et je lui ai remis un sac rempli de vieux vêtements (sauf le manteau laid, que j'ai jeté). Elle semblait un peu surprise qu'il n'y ait pas de jouet. Je lui ai expliqué que le film *Toy Story* m'avait un peu influencée et que j'avais peur que mes anciens jouets soient tristes si je les donnais. Puis, elle m'a dit :

– Mais voyons ! C'est un film, Aurélie !

Moi : Mais tout d'un coup que c'est inspiré d'un fait vécu…

Ma mère : Tu es sérieuse, là ?

Moi : C'est juste que je me sens mal… Mais fais-toi z'en pas, je les ai bien rangés. On voit le plancher de ma garde-robe maintenant, regarde !

Elle a regardé et elle a fait : « Oh ! wow ! »

Personnellement, j'utiliserais ce genre d'expression pour quelque chose de plus excitant, mais si elle aime ça, s'exclamer devant des planchers de garde-robe, c'est son choix.

20 h 30

Je suis entrée dans ma chambre pour lire et faire quelques devoirs, et je dois avouer que ma mère avait raison. Même si je ne vois pas en surface le ménage qui a été fait, car j'ai jeté plein de choses qui étaient dans ma garde-robe ou dans ma commode, je sens que ç'a fait du bien. Je me sens plus légère.

Note à moi-même: Aller vite me faire soigner. Je suis en train de me «muter» en ma mère.

Note à moi-même n° 2: Si tel est le cas, ne jamais obliger mes futurs enfants à s'habiller avec des manteaux carreautés.

Note à moi-même n° 3 (toujours dans l'éventualité d'une possible «mutation» en ma mère): Tenter de toujours utiliser les exclamations d'émerveillement pour des choses qui en valent vraiment la peine.

21 h 49

Je suis dans mon lit, incapable de dormir. Je ne vois que les yeux de Sybil dans le noir. Et je repense à mon accolade/manteau carreauté avec mon père. Je ferme mes yeux, et c'est comme si j'y étais encore, et que je pouvais le sentir contre moi. Je me souviens parfaitement de son odeur. Hum… un mélange de bon savon et de forêt remplie de sapins.

21 h 52

Tout compte fait, et après mûre réflexion, me faire opérer le nez serait une très mauvaise chose.

Mardi 6 juin

Parfois, dans la vie, il y a un moment où on a un genre d'illumination. Et je me rends compte à quel point je me sentais un peu, disons, bizarre, ces temps-ci. Sans trop comprendre ce qui m'arrivait. Mais j'ai compris !

Mon cerveau, qui semblait au neutre depuis des mois, s'est tout à coup mis en mode « hyperactif » et m'envoie toutes sortes de messages du genre « Je veux reprendre Nicolas », « J'aime Nicolas », tralala…

Mon problème, c'est que j'aborde souvent les choses sous le mauvais angle. Par exemple, dans le cas précis de Nicolas, je pensais qu'il fallait que je l'oublie, alors que j'aurais dû penser à la seule chose à laquelle je n'ai pas pensé : le reconquérir. (Malheureusement, je n'ai pas d'autre exemple à donner que celui-ci, qui servirait à prouver que c'est un réel problème dans ma vie, d'aborder les choses sous le mauvaise angle, mais bon, cet exemple fait très bien l'affaire, je trouve, car il est particulièrement éloquent.)

C'est décidé. Il faut que je reprenne ma vie en main !

Plan de vie (pour le moment):

• Reconquérir Nicolas (important).

• Découvrir que François Blais est machiavélique et, par la force des choses, aider à protéger ma mère d'un voyage en enfer.

• Faire tout ce que ma mère me dit de faire (même si plate), incluant ménage, etc. (essentiellement ménage) pour qu'elle me trouve vraiment cool (sa vision d'être cool étant, de ce que je connais d'elle, de faire le ménage).

• Réussir examens de fin d'année.

• *Matcher* ma mère avec Denis Beaulieu (malgré son exagération dans l'après-rasage, il irait parfaitement avec ma mère et, en plus, en tant que « beau-père », il pourrait me fournir les questions d'examens à l'avance, ce qui aiderait énormément ma réussite scolaire).

• Tenter de réduire un peu ma dose quotidienne de chocolat (depuis mon épisode « vomi », j'ai un peu moins le goût de m'empiffrer, mais réduire ma consommation sera tout de même difficile parce que ça va me demander beaucoup d'énergie pour réussir tout ça).

Façons de parvenir à mes buts:

•

•

•

•

• Si la technologie le permet, trouver une façon de me cloner.

Mercredi 7 juin

J'ai fait part à Kat de mon intention de reconquérir Nicolas. Elle m'a dit, et je cite: « Il était temps que tu embrayes ! » Elle m'a conseillé de fouiller dans mes vieux *Miss Magazine* pour trouver des conseils. Malheureusement, j'ai mis tous mes vieux *Miss Magazine* au recyclage. (C'est ce qui arrive avec le ménage, ça nous fait perdre des éléments importants de notre vie !) Je suis allée fouiller et j'ai retrouvé mes magazines. Mais j'ai malencontreusement « oublié » de replacer les papiers qui étaient dans le recyclage par la suite et, quand ma mère les a vus sur le plancher, elle a poussé un cri énooooorme. Étant dans ma chambre à ce moment et, donc, ne sachant pas qu'elle criait (au meurtre) pour *ça*, j'ai tout de suite observé les consignes en cas d'incendie, car ça me semblait l'explication la plus plausible. Je suis sortie de la maison (en n'oubliant pas Sybil), pour finalement me rendre compte qu'elle criait (exagérément, tout compte fait) simplement parce que (détail) j'avais laissé tous les papiers par terre, hors du bac à recyclage. J'ai bien tenté de lui expliquer que j'avais eu une urgence, que j'avais dû retrouver mes *Miss*, que je regrettais, etc., elle m'a dit qu'avant de faire quoi que ce soit d'autre, je devais tout remettre en place. Si mon souvenir est exact, il y avait d'autres « gnagnagnagna » à l'appui, mais le niveau de décibels était un peu trop élevé pour que je m'arrête à chaque mot précisément.

10 h

Pour éviter de revivre un tel épisode digne d'un film d'horreur (le visage de ma mère qui se décompose me fait croire qu'elle gaspille vraiment son argent avec ses crèmes de beauté), j'ai décidé de garder mes *Miss Magazine*. Ça peut toujours servir, et je les ai rangés sur une tablette de ma garde-robe.

10 h 13

J'ai trouvé ceci (trop parfait) :

PSYCHO : COMMENT LE RECONQUÉRIR

Il arrive souvent de voir des amoureux se laisser et reprendre. Si tu as eu une belle relation amoureuse qui s'est terminée en queue de poisson, il se peut très bien que tu souhaites que votre séparation ne soit pas définitive. Est-ce une bonne idée de le reconquérir ? Voici quelques trucs !

RÉFLÉCHIS AVANT D'AGIR

Avant de reconquérir ton ex, demande-toi si une réunion est possible. Bien sûr, tu te souviens de ses beaux yeux et des bons moments. Mais pourquoi la relation s'est-elle terminée ? Est-ce qu'entre vous, c'était la guerre ? T'a-t-il menti ? trahie ? Ou si vous avez simplement eu du mal à vous comprendre ? Analyse la situation et essaie de voir si tes raisons de vouloir revenir avec lui sont les bonnes. Si tu crois honnêtement qu'il y a une chance que ça fonctionne, passe à l'action.

FAIS-TOI DISCRÈTE

Dans les premiers temps de la rupture, il est préférable que tu te fasses discrète. Prends du temps pour toi. Ça te permettra de faire redescendre la pression et de remettre les choses en perspective.

TIRE DES LEÇONS DU PASSÉ

Dans une rupture, il est bien de ne pas s'accorder tout le blâme, mais également de prendre ses responsabilités. Fais la liste des raisons qui ont provoqué la rupture et évalue si elles sont toujours d'actualité. Ensuite, demande-toi s'il est possible de régler vos différends et de recommencer sur de nouvelles bases.

DE BONNE HUMEUR

Il serait bien qu'il apprenne par la bande que tu vas bien et que tu n'es pas dépressive à cause de votre rupture. Alors, quand tu le croises ou que tu croises ses amis, montre-toi sous ton meilleur jour. Aie du plaisir, rigole. Ça lui rappellera un côté positif de toi.

SOIS INDÉPENDANTE

Ne poireaute pas chez toi à pleurer et à te morfondre. Tu es célibataire, profites-en pour faire toutes sortes d'activités qui te plaisent. Ainsi, si tu croises ton ex, tu pourras lui raconter plein d'anecdotes amusantes. Quelqu'un qui a de belles histoires à raconter est toujours plus charmant ! Montre-lui que tu es heureuse sans lui. Que tu es une fille indépendante, bien dans ta peau, et que sa présence dans ta vie est un plus, et non pas une nécessité.

LA VÉRITÉ

Si tu sens que l'amour que tu as pour lui est réciproque, pourquoi ne pas lui dire la vérité sur ce que tu ressens ? Va droit au but et tu verras où il en est. Bien sûr, il y a des dangers, il se peut que tu te sois trompée et que, contrairement à toi, il soit passé à autre chose, mais au moins, tu le sauras. Et une fois que tu le sauras, tu pourras toi aussi passer à autre chose : une deuxième relation avec lui si la réponse est positive ou un véritable deuil si la réponse est négative.

EN VRAC

★ Il se peut que les raisons de votre rupture soient justifiées. Évalue si ça vaut la peine que tu dépenses des énergies à vouloir le reconquérir.

★ Si tu vois que la personne ne partage pas tes sentiments, n'insiste pas et passe à autre chose. Ne reste pas dans le déni de la rupture trop longtemps.

★ Ne conserve pas d'amertume à la suite de ta rupture et ne mets pas tous les gars dans le même panier !

★ Même si tu crois que tu ne pourras jamais trouver mieux que lui, c'est faux. Évalue ce que t'a apporté cette relation et continue d'avancer !

★ Souviens-toi qu'une relation amoureuse doit te donner des ailes, pas te les couper.

Jeudi 8 juin

Après l'école, je suis allée faire mes devoirs chez Tommy. Le but de ma visite : m'informer au sujet de Nicolas afin de voir s'il montre encore un intérêt pour moi. J'ai commencé à questionner Tommy, vu qu'il va à la même école que lui. Mais il ne répondait pas et n'arrêtait pas de jouer de la guitare. Comme si, je ne sais pas, moi, j'allais arrêter de lui poser des questions et me pâmer d'extase devant son savoir-faire.

16 h 24

Sa réponse (après torture) : bien qu'avant « l'affaire MusiquePlus », Nicolas ne l'a jamais remarqué, il le regarde désormais avec un air fâché chaque fois qu'il passe devant lui. Ah-ah ! Colère envers Tommy = espoir.

16 h 26

Moi : Change d'école !

Tommy : Hein ?

Moi : C'est logique ! Vu que tu vas à la même école que lui, il ne peut jamais oublier l'événement et les gens lui rappellent toujours que toi – qu'ils surnomment peut-être entre eux « le gars qui a embrassé ta blonde » –, tu as embrassé sa blonde.

Tommy: Veux-tu que je redéménage chez ma mère, tant qu'à y être ?

Moi : Ben… je n'osais pas le dire, mais c'est quand même une grosse gaffe que t'as faite.

Tommy: Oh, là ! Franchement ! Ton ex a de l'orgueil mal placé ! Et tu veux que ce soit MOI qui déménage ?

16 h 45

Je me confonds en excuses depuis dix mille ans ! (OK, dix minutes.)

Moi : Tommy… je m'excuuuuuuse…

Tommy: C'est beau…

Moi : Non, je m'excuse. Je vis beaucoup de stress ces temps-ci, je ne sais pas trop ce que j'ai.

Tommy (qui joue avec les cordes de sa guitare sans faire d'accords particuliers) : Je comprends. C'est beau.

16 h 52

J'allais m'en aller, puis j'ai dit, un peu mal à l'aise :

– Penses-tu que tu pourrais faire courir la rumeur, à ton école, que je vais suuuuuper bien ?

Tommy: Pourquoi ?

Moi : Pour que Nicolas le sache. C'est comme un truc… de reconquête.

Tommy: Oh, boy ! J'embarque pas dans les affaires de filles.

Moi : Tu m'as quand même coûté un chum plus une mauvaise note en français…

Tommy me regarde et hausse simplement les sourcils, incrédule.

Moi : OK, d'abord ! J'ai d'autres trucs, de toute façon.

Vendredi 9 juin

Dans le corridor.

Denis Beaulieu : Et puis, Aurélie ? tu vas réussir ton année ?

Moi : Monsieur Beaulieu, t'sais, des fois, ce serait le *fun* que vous ne voyiez pas seulement le chapeau sur la table !

Denis Beaulieu : Pardon ?

Moi : Le chapeau…

Évidemment, rendue là, j'avais envie de pleurer. Et impossible de me souvenir de la métaphore complète (et compliquée) de ma mère.

14 h 24

J'ai remarqué que Justine et Marilou avaient vu la scène, ce qui m'a énormément gênée (X 1000), et je me suis dirigée vers les toilettes pour me cacher, mais malheureusement, c'est là qu'elles se rendaient, elles aussi.

Puis, Justine s'est retournée vers moi et elle m'a dit :

– Pis, tes cours de rattrapage ?

Venant de Denis Beaulieu, je sais que l'intention est bonne, mais de Justine, c'est simplement une totale *bitcherie.*

16 h 10

J'ai raconté la scène à Kat. J'ai dit ce que Justine m'avait dit et que je lui avais répondu : « En tout cas, toi, t'as sûrement pas pris des cours de rattrapage pour devenir une *bitch* parce que t'es experte là-dedans. »

Kat : Tu lui as dit ça ?

Moi : Ben… non. Mais mes yeux envoyaient des signaux très explicites !

Samedi 10 juin

Plan pour reconquérir Nicolas : Aller à l'animalerie où il travaille. Je vais aller à l'animalerie « par hasard », pour y chercher une marque de bouffe pour chats qu'on ne retrouve que là-bas, faire semblant que je ne sais pas qu'il y travaille aujourd'hui, le croiser « par hasard » et avoir plein d'anecdotes intéressantes à raconter. Bref, avoir l'air totale charmante pour qu'il se souvienne de bons moments passés avec moi.

Anecdote intéressante : Lui raconter la fois où Sybil m'a volé du jambon et qu'elle a atterri par terre (ma façon de le raconter est très drôle, calibre humoriste, surtout quand je reproduis la mimique que Sybil faisait pendant qu'elle dérapait sur le comptoir de la cuisine, les gens rient à tout coup).

Conseil du *Miss* mis en pratique : Être indépendante.

Complice : Kat.

Important : Avoir les cheveux et le visage très propres pour effacer toutes traces de caca d'oiseau dans sa mémoire sélective me concernant.

But visé (si réussite) : Que Nicolas soit redevenu mon chum dès ce soir et qu'on s'embrasse. WOUHOU !!!!!!

13 h

Dans la salle de bain avec Kat, qui me fait une mise en plis. Elle me tire les cheveux et je crie.

Ma mère (de la cuisine) : Qu'est-ce que vous faites, les filles ?

Kat (à moi) : Qu'est-ce qu'on lui répond ?

Moi (à Kat) : Chut ! Ne dis pas qu'on va à l'animalerie.

Moi (à ma mère) : On fait des expériences de coiffure !!!

Ma mère (toujours de la cuisine) : Vous ne vous teignez pas les cheveux, toujours ? Vous êtes trop jeunes et je ne pourrais pas expliquer ça à la mère de…

Moi : AH !!! ON NE SE TEINT PAS LES CHEVEUX, BON !

Ma mère (qui ouvre la porte de la salle de bain et qui voit Kat en train de me sécher les cheveux) : Hum… parfait. Bon, les filles, je m'en vais passer l'après-midi avec François, vous pouvez vous débrouiller toutes seules?

Moi: Dans quel sens?

Ma mère: Vous ne ferez pas de niaiseries?

Moi: Comme quoi?

Ma mère: Vous teindre les cheveux... brûler la maison?

Moi: Meh! Rapport?!?

Ma mère: Je te niaise, Cocotte! Barre la porte si tu t'en vas et regardez des deux côtés de la rue quand vous traversez.

Moi: Bon après-midi, bye!

Non, mais?!? Son but est de me faire honte pour le reste de l'éternité ou quoi?!? Je n'ai jamais eu aussi hâte qu'elle aille retrouver François Blais!

14 h 15

Je suis figée devant la porte de l'animalerie.

Kat: Tu ne peux plus reculer, Au! Ça va avoir l'air arrangé s'il te voit hésiter devant la porte.

Moi: Mes cheveux sont corrects?

Kat: Parfaits.

Moi: Je n'ai pas de ketchup dans la face ou quelque saleté du genre qui pourrait rappeler une certaine crotte d'oiseau, genre?

Kat: Non.

Moi: Gugusse entre les dents?

Je souris de toutes mes dents pour qu'elle évalue.

Kat: Rien.

Moi: Ça ne marchera jamais! Je suis le contraire d'indépendante. Je vais le voir sur son terrain. Je suis désavantagée. Le *Miss* dit d'être discrète. Je serais mieux de le croiser par hasard.

Kat : Oui, mais il ne sait pas que ce n'est pas un hasard !

Moi : Meh ! Je viens à *son* animalerie !

Kat : Ça va marcher ! Répète-moi ce que tu vas lui dire.

Moi (sur un ton machinal) : Ah. Allô, Nicolas. Et là, je prends un air super surpris. Je ne pensais pas que j'allais te voir aujourd'hui. Je viens chercher de la bouffe pour Sybil. Est-ce qu'il t'en reste ?

Kat : Tu vois, t'es bonne ! Ensuite, tu racontes l'anecdote positive pour montrer que tu as une belle vie. Entre !

Elle ouvre la porte qui fait gling-gling et me pousse à l'intérieur. Mon cœur me donne soudainement l'impression d'être étouffé sous des plantes grimpantes qui grandissent à mesure qu'on pénètre dans l'animalerie. Ça me prend au moins trente secondes avant d'entendre les sons ambiants : perroquets-chiens-chats-oiseaux.

Kat (à mon oreille) : Ça va bien aller.

Moi (qui lui prends le bras) : Ooooooh, on s'en va, Kat.

Kat : Respire. Et ne vomis surtout pas ! Ce n'est pas dans le plan.

Moi : Je n'ai rien mangé pour être sûre.

Kat : Ah non ! c'est pire !

Je suis juste à côté de la nourriture pour chats que je viens chercher. Les sacs sont empilés en pyramide qui m'arrive à peu près au nombril. Je regarde autour. Il n'est pas là. Parfait. Je n'ai qu'à prendre le sac sur le dessus de la pile et à partir. Prendre un sac et partir. Facile.

Au moment où je touche au coin d'un sac de nourriture, quelqu'un me tape sur l'épaule et je sursaute en criant :

– AAAAAAH !

Nicolas : Salut.

Moi : Sa…

Mon souffle est coupé. Les plantes grimpantes montent jusqu'à ma gorge. Kat s'est placée derrière Nicolas et mime le mot « salut » avec ses lèvres, puis le reste de notre texte.

Moi : Ah. (Respire.) Salut. (Respire.) Quelle surprise. (Manque de souffle.) Besoin de souffle… Euh de… bouffe pour chats. (Je recule.) En as-tu ? (Gulp.)

Il s'avance.

Je recule.

Il s'avance un peu plus.

Je recule.

Nicolas (en pointant derrière moi avec son menton) : Cette bouffe-là ?

Je me retourne et regarde la pyramide de bouffe.

Moi : Oui. Je ne pensais pas que (respire) tu travaillais (respire) aujourd'hui.

J'ai l'impression que ma tête va exploser tellement j'ai de la difficulté à respirer. Pourtant, c'est quelque chose que l'être humain fait naturellement. De façon innée. On inspire, on expire. Pas trop compliqué.

Il s'avance.

Je recule.

J'inspire, j'expire.

Kat me fait des signes d'y aller avec l'anecdote savoureuse qui me fera passer pour quelqu'un qui a une vie palpitante.

Moi : J'ai une bonne anecdote, haha…

Paf ! J'ai reculé… sur la pyramide de nourriture pour chats. Et je me retrouve sur le sol, à travers les sacs, un peu sonnée. Nicolas me tend la main et je crois avoir entendu « Es-tu correcte ? », comme s'il avait la voix transformée de quelqu'un qui donne une entrevue télévisée incognito, mais je me relève toute seule. Je m'excuse timidement sans regarder Nicolas et je commence à ramasser les sacs de bouffe. Mais Nicolas me dit qu'il va s'en occuper.

Je prends un sac dignement (le peu de dignité qu'il me reste après cette situation) et je me dirige vers la caisse, la tête basse, pour aller le payer. Nicolas me dit qu'il me fait cadeau du sac.

Les plantes grimpantes sur mon cœur sont de plus en plus touffues et je n'ai qu'une envie, sortir d'ici au plus vite.

14 h 22

J'ai passé sept minutes en enfer. La preuve, c'est que j'ai les joues tellement rouges que, pour la première fois de ma vie, j'ai chaud aux yeux. Et ça n'a pas rapport avec la température, parce qu'il fait froid comme si l'hiver ne s'était jamais terminé. (Bon, j'avoue, il ne fait pas *si* froid que ça.)

14 h 35

Dans la rue, sur le chemin du retour, un peu déconfite, tenant solidement le sac de bouffe à chats contre moi.

Kat : Bon. Pas grave. Tu n'étais peut-être pas prête. On se reprendra.

Moi : On se reprendra ?!? T'es malade ???? Tu ne m'as pas vue faire une folle de moi ENCORE UNE FOIS DEVANT NICOLAS ?!?!!! En plus, tout est ta faute !

Kat : Hé, ce n'est pas moi qui suis allée me garrocher dans une pile de sacs !

Moi : C'est toi qui m'as poussée à entrer dans l'animalerie, alors que mon instinct me dictait de m'en aller.

Kat : Pas rapport avec l'instinct ! Et puis, t'aurais pu éviter facilement de tomber dans les sacs, mais tu n'arrêtais pas de reculer, reculer, reculer.

Moi : C'est que… Nicolas… J'avais l'impression… qu'il regardait… mon ancienne tache de crotte d'oiseau…

Kat : Ah ouain ? Ça t'obsède pas mal, hein, ta crotte d'oiseau ! Pas capable de décrocher de cette histoire-là deux secondes ?

Moi : OK, d'abord. J'avais juste le goût de sauter dessus et de l'embrasser, et si je n'avais pas reculé, c'est ce qui serait arrivé, voilà toute la vérité !

Kat : T'es chanceuse…

Moi : Hein ?!? Comment ça ? Je me suis ridiculisée solide !

Kat : Il te regarde avec des yeux… Si t'avais vu ça.

Moi : Ce serait dur qu'il me regarde avec autre chose que des yeux, t'sais…

Kat : Nounoune ! T'sais quoi ? En vous voyant, j'ai réalisé que ma plus grosse peine, avec Truch, c'est de penser que lui, il n'avait pas de peine. Mais Nicolas, il a l'air d'avoir de la peine. Je dirais même… beaucoup.

Moi : Pourquoi, Kat ? Pourquoi devant lui je fais toujours, toujours, toujours des gaffes ? Pourquoi ? Toi, devant Truch, tu étais toujours... parfaite. OK, moi, je savais que tu n'étais pas toi-même, mais devant lui, tu gardais toujours ta dignité, au moins !

Kat : Qu'est-ce que tu veux ? C'est un talent ! Au moins, ça t'a permis d'avoir de la bouffe à chats gratuite. Alors, on peut dire que toi, ton talent, c'est d'avoir des rabais !

Moi : Naaaa ! T'es twit !

Je lui donne des petits coups avec le sac de bouffe pour chats et on rit.

Bon, je n'ose pas trop m'emballer. Mais ce que m'a dit Kat (l'affaire de « il-me-regardait-avec-des-yeux-tralalaa... »), me donne un espoir de pouvoir atteindre *éventuellement* mon but de « reconquête ». C'est juste que ça ne se passera pas *tout de suite* (comme prévu).

Analyse de la situation : Ce qui est poche dans mon comportement avec Nicolas, c'est que je ne suis nullement mystérieuse. Soit j'ai l'air totale retardée, soit j'ai l'air de triper carrément sur lui. Si jamais il pense à cette option (ce qui est quand même plus flatteur que la première), ça lui rend la tâche beaucoup plus facile. Il sait qu'il pourrait sortir avec moi n'importe quand. Et ce n'est pas une impression que j'aime laisser (même si je veux le reconquérir... je sais que c'est contradictoire, mais bon, c'est comme ça).

Trucs de reconquête à utiliser: Les prochaines fois que je le verrai, il faudra absolument que j'aie l'air d'une fille indépendante, sûre d'elle, amusante et inaccessible.

Dimanche 11 juin

AH! HA! J'AI TROUVÉ! Je crois qu'il y a une chose que je peux maintenant rayer de la liste! Je vais enfin pouvoir prouver que François Blais est le Diabolo-Man que je croyais qu'il était.

Tout s'est passé après le souper. Ma mère a dit qu'elle avait une migraine. Elle est allée voir dans la salle de bain, et il ne lui restait plus de comprimés.

François Blais a dit qu'il allait en chercher à la pharmacie.

Et c'est là que ça se corse!

Il est revenu avec une marque de pilules qu'on n'avait JAMAIS essayée, en disant à ma mère que c'était la meilleure marque et que ça la soulagerait.

Bon, jusqu'ici, comme d'habitude, il pourrait avoir l'air super parfait et, évidemment, ma mère, totale inconsciente et aveuglée par ce qu'on pourrait appeler de l'« amour », n'y a vu que du feu (allant même jusqu'à le trouver gentleman).

Mais moi, je suis lucide!

Alors qu'il donnait les nouveaux « comprimés antimigraine » à ma mère, j'ai volé la boîte de pilules, j'ai pris le livret d'instructions et je suis tombée sur les effets secondaires possibles de ce médicament. Voici ce que j'ai découvert :

• Douleurs abdominales.

• Diarrhées, voire ulcération du tube digestif.

• Céphalées (maux de tête). (Quel être humain donne à une femme qui a une migraine un médicament contre les maux de tête qui peut lui causer comme effet secondaire des maux de tête à moins d'être totalement machiavélique, hum ?)

• Vertiges.

• Bourdonnements d'oreilles.

• Somnolence.

• COMA ?!?!!!!!!!!

Alors, c'est maintenant officiel : FRANÇOIS BLAIS VEUT ATTENTER À LA VIE DE MA MÈRE !!!!!!!!!!!!!!!!!!

19 h 35

François Blais est parti après avoir fait la vaisselle (sûrement pour effacer ses empreintes digitales).

Ma mère est dans son lit, avec une débarbouillette sur le front.

Moi : Est-ce que tu te sens mieux ?

Ma mère : Oui, je crois que je vais toujours utiliser cette marque, maintenant.

Moi : Ah. Tu ne te sens pas trop… coma ?

Ma mère : Hummm, dans un sens, oui.

Elle me prend les mains, me fait tomber sur son lit et me colle de force alors que j'essaie de me dégager. Ce qui me fait soudainement comprendre Sybil, à qui j'inflige ce genre d'accolade au moins une fois par jour…

Ma mère : Oooooh ! Choupinette d'amour ! Jamais, jamais, jamais je ne croyais qu'un jour on retrouverait le bonheur !

Moi : Parle pour toi… Moi, je ne l'avais pas vraiment, disons, perdu.

Ma mère (qui a déposé sa débarbouillette sur sa table de nuit et qui s'est assise en indien dans son lit) : Je ne pensais pas que c'était possible !

Moi : De quoi tu parles ?

Ma mère : Je crois que… je suis amoureuse.

C'est clair. Elle est droguée. C'est tout.

Moi : Est-ce que tu lui as… dit ?

Ma mère : Tu crois que je devrais le lui dire ?

Moi : Bof… Je ne sais pas, moi !

Ma mère : J'aimerais ça avoir… ton avis.

Moi : Oh, t'sais, moi… Je trouve que donner des médicaments avec plein d'effets secondaires, c'est pas fort, fort…

Ma mère (en m'ébouriffant les cheveux) : T'es drôle, Cocotte ! Ha ! ha ! ha ! ha ! Tu crois que je devrais le lui dire ? Comment je devrais dire ça ?

Moi : Ben, en français… c'est plus simple.

Ma mère : Oui ! Je vais attendre à Paris, dans la tour Eiffel. C'est romantique !

Moi : J'ai dit « en français », pas en France ! C'était une blague, genre.

À faire : Sortir mes pieds du plancher, où je suis enfoncée.

21 h

Je saute sur place et je me demande pourquoi je saute sur place. C'est plus fort que moi. Et ça n'a aucun rapport avec de la joie. Car je ne ressens aucune joie. Ça n'a pas non plus rapport avec la toune de Simple Plan que j'écoute (laquelle? Pas attentive à ça). Juste besoin de sauter. J'ai aussi des tics. Mon œil gauche saute. Ah! maudit œil gauche! À moins que ce soit parce que je saute sur place que j'ai l'impression que mon œil saute, alors qu'il s'agit en réalité de mon corps au complet. Hum…

21 h 02

Pourquoi elle a voulu me confier ça, à moi? Elle n'a jamais entendu parler de ça, un psy?

21 h 03

Je saute. Et je bouge les bras et la tête vivement. Est-ce que ça pourrait avoir un rapport avec le fait que j'ai mangé une quantité industrielle de pépites de chocolat mi-sucrées que j'ai trouvées dans le garde-manger? Je ne pense pas. Le chocolat ne m'a jamais fait cet effet. C'est vrai que je n'en ai jamais mangé autant.

21 h 04

Le mot le plus drôle du monde: berlingot! HAHAHAHAHAHAHAHAHAHAHA!

21 h 05

Ber-lin-got! D'où ça vient, ça? « J'aurais besoin d'un berlingot… DE LAIT!!!! »

HAHAHAHAHAHAHA!

21 h 06

J'ai arrêté de sauter. Je ne sais pas quoi faire. Je ne sais pas quoi faire. Je ne sais pas quoi faire. Je. Ne. Sais. Pas. Quoi. Faire. Je marche de long en large dans ma chambre. Je dois sauver ma mère. Elle ne pourra pas le supporter, quand elle découvrira que François Blais est la réincarnation du diable !

21 h 08

À qui en parler ? Kat ? Tommy ? Mes grands-parents Charbonneau ? Qui ???????????!!!!!!!!!!!!

21 h 12

La police n'est pas très très coopérative, contrairement à ce qu'on est venu nous dire à l'école. Ils m'ont raccroché au nez.

Pfff ! Gang d'impolis !

Notre conversation :

Moi (toujours avec l'œil gauche qui saute) : Bonjour, police, j'aimerais signaler quelqu'un de « potentiellement dangereux », peut-être, pas sûr, qui donne des pilules louches à ma mère.

Police (qui semble beaucoup moins jeune que les deux policiers qui sont venus nous voir à l'école il y a quelques semaines) : Peux-tu nous décrire un peu la situation, nous prenons ça très au sérieux.

Moi : Ma mère a des petits problèmes de migraines, parfois, et son chum lui a donné des médicaments qui peuvent la faire tomber dans le coma.

Je l'entends noter sur un papier.

Police : Il lui en donne beaucoup ?

Moi : C'est ça, l'affaire. C'est qu'il est vraiment très subtil. Et il fait ça sans qu'elle s'en rende compte.

Police : Tu as été témoin qu'il lui en a donné à son insu ?

Moi : Pas vraiment à son insu…

Police : Tu évaluerais à combien la dose qu'il lui a fait consommer ?

Moi : Un… ou deux.

Police : Un ou deux quoi… ?

Moi : Un ou deux comprimés contre la migraine ! Soyez attentif, aaaah !

Police : Achetés en pharmacie ?

Moi : Oui ! Ce sont des médicaments très dangereux avec de graves effets…

Police : Écoute, la p'tite, si tu raccroches tout de suite, je vais oublier notre convesation, mais si tu continues de faire des coups au téléphone à la police, j'ai ton numéro en note et je n'hésiterai pas à avoir une bonne discussion avec tes parents !

J'entends le bruit de la tonalité : « Douuuuh. »

Peh ! Même pas capable d'avoir l'appui des autorités ! Ils nous encouragent à dénoncer les crimes, mais si on le fait, on se fait engueuler ! Tellement pas cool !

À l'agenda : Quitter le pays, maintenant que c'est moi la « criminelle » recherchée.

Lundi 12 juin

Kat capote. Pas parce que je lui ai raconté ma conversation avec la police et qu'elle m'a trouvée nouille (car c'est exactement ce qu'elle m'a dit que j'étais, mais autant elle que la police vont se sentir teeeeellement mal si ma mère ne revient pas de France parce qu'elle aura été enlevée ou quelque chose du genre), mais parce que ses parents ne veulent pas lui acheter un nouveau sac de couchage pour son camp d'été et que le sien va lui conférer un statut de totale rejet.

Kat : Tu te rends compte ? Je vais aller dans un camp d'équitation avec un sac de couchage avec les princesses de Disney ! Je vais être la risée de tout le camp !

Kat a un sac de couchage avec la Belle, Cendrillon et la Belle au bois dormant, sur fond de décor de château rose et bleu. Ses parents ne veulent pas lui en acheter un nouveau, car supposément qu'il y a exactement quatre ans, elle a pleuré toutes les larmes de son corps pour avoir ce sac de couchage quand elle l'a vu au magasin, et qu'il n'a jamais servi. Et que, puisque le camp d'équitation coûte cher, ils disent que c'est une excellente façon de rentabiliser cet achat. Kat a beau leur dire qu'en quatre ans elle a changé, etc., etc., mais ses parents ne veulent rien savoir. Elle a même offert de donner son sac de couchage à Julyanne, mais elle n'en veut pas. Ce que Kat soupçonne d'être une simple vengeance de la part de sa sœur, qui a toujours voulu ledit sac de couchage.

Bref, mon amie vit un drame.

Auquel je ne peux malheureusement accorder qu'une minime importance, car je dois étudier en vue des examens et je suis complètement vannée à cause d'une nuit de totale insomnie (à l'avenir, limiter ma consommation de pépites de chocolat à la quantité contenue dans un biscuit aux brisures de chocolat ou autre recette). En plus, mon plan de *matcher* Denis Beaulieu avec ma mère et ainsi peut-être pouvoir avoir accès aux questions d'examens à l'avance et la sauver du terrorisme (François Blais) a officiellement avorté quand j'ai appris qu'il avait une femme dans sa vie et même des enfants (ce que j'ignorais) !

Ce midi, 12 h 19

Je suis passée devant le bureau de monsieur Beaulieu et je l'ai entendu parler au téléphone. J'ai su que je devais faire avorter mon plan, car il semblait être en conversation avec sa femme (ou blonde), avec laquelle il semble traverser une mauvaise passe, mais bien déterminé à arranger les choses (ce que je respecte totalement. Il n'est pas comme « certains » gars de ma connaissance qui abandonnent au moindre petit obstacle, télévisé ou non). Il disait :

– Écoute, on peut arranger ça. (Silence.) Je sais que la situation est précaire, mais ce serait vraiment dommage… pour les filles. Écoute, je vais essayer de voir… Parfait. On se reparle.

Je crois qu'il m'a vue par sa porte entrouverte, car il a arrêté de parler et, après avoir sursauté, j'ai baissé la tête et continué mon chemin comme si de rien n'était.

Il avait l'air bouleversé. Je ne savais pas que Denis Beaulieu était un grand romantico-sentimentalo-prince-charmanito !

Retour à tout de suite, pendant mon étude

C'est bizarre. Je suis comme… déçue. Oui, il m'énerve. Oui, il ne voit que le « chapeau sur la table ». Oui, à cause de lui j'ai été en retenue souvent cette année. Mais avoir mon ennemi de mon bord m'aurait permis de souffler un peu… Maintenant, ce plan tombe à l'eau. Savoir que Denis Beaulieu était marié m'aurait causé moins de soucis, notamment en début d'année, quand je croyais à tort qu'il sortait en cachette avec ma mère, et il y a quelques mois, quand j'ai cru qu'il avait de la peine que ma mère se soit fait un chum.

Conclusion (par rapport à moi) : Mon instinct amoureux n'est pas très très aiguisé.

Conclusion (par rapport à Denis Beaulieu) : Quand même… pas super professionnel de régler ses problèmes matrimoniaux à l'école.

20 h

Pas le choix d'étudier maintenant que l'accès aux questions d'examen est définitivement impossible. J'ai commencé à étudier pour l'examen d'arts plastiques. Habituellement, le prof, Louis, nous fait faire une œuvre et nous met des notes assez élevées, car il dit que l'art est subjectif. Mais à la fin de l'année, il doit nous faire passer une examen théorique.

20 h 32

Je suis outrée. Comment veulent-ils que je ne coule pas mon année quand les manuels scolaires sont truffés d'erreurs ?

Dans mon livre d'arts plates, je lis que le blanc est la somme de toutes les couleurs et que le noir est l'absence de couleur. C'est impossible !

Mardi 13 juin

Cours d'arts plates.

Après le cours, je vais questionner Louis, le prof, au sujet de l'erreur dans mon livre.

Moi : Louis, il y a une erreur dans mon livre.

Louis : Ah oui ?

Moi : Ils disent que le noir est l'absence de couleur et que le blanc est la somme de toutes les couleurs.

Louis : C'est vrai.

Moi : C'est vrai ?

Louis : Oui.

Moi : Mais si je mélange tous mes crayons de couleurs ensemble, ça ne fait pas du tout blanc, ça fait plus brun-noir !

Louis : Le blanc est la somme de toutes les couleurs... de l'univers, si on veut. Pas la somme de tous tes crayons de couleur !

Moi : Ben sur la boîte, c'est écrit cent trente-deux dégradés, pour voir la vie de toutes les couleurs... Ils spécifient de *toutes* les couleurs.

Louis : Ça, c'est de la pub, pas nécessairement la réalité.

Moi : Donc, un jour, quelqu'un a expérimenté quelque chose que je ne peux pas vraiment expérimenter et il faut que j'apprenne *sa* théorie par cœur, sans nécessairement comprendre la logique ! Stressant.

Louis : Fais-toi confiance. (Et il me donne une tape sur l'épaule.)

Fais-toi confiance, fais-toi confiance ! Ma boîte contient cent trente-deux crayons, ça donne noir-brun si je les mélange, mais ça ne donnerait pas noir si j'en avais plus, ça donnerait blanc. Parfois, étudier, ça nous mêle plus qu'autre chose.

Vendredi 16 juin

Ma mère est allée au resto avec F.B. (Pourvu qu'il ne l'empoisonne pas.) Je ne le lui ai pas dit, mais avant de partir, elle m'a souri et elle avait du rouge à lèvres sur les dents. Pour qu'elle ait les dents parfaitement blanches, il aurait fallu qu'elle mélange toutes les couleurs de rouge à lèvres possibles et imaginables. Hi! hi!

Samedi 17 juin

Études (obligatoires, semble-t-il) en vue des examens de fin d'année.

13 h 25

OOOOOOOOOOH! MOOOOOOOON DIIIIIIIIIIIIIIEUUUUUUUUUUUU! Je suis carrément en train de « muter » en animal! Et ce n'est pas un animal joli (comme Sybil) mais plutôt de l'ordre du yéti, du gorille ou de quelque chose du genre!

J'étais silencieusement en train d'étudier lorsque j'ai décidé de prendre une petite pause. Bon, ce n'était pas tant une pause qu'une recherche vestimentaire en vue de l'été qui s'en vient. J'ai essayé mon bermuda que j'adorais l'an dernier et je suis passée devant le miroir et qu'est-ce que j'ai vu ? Mes jambes !!!!!! Ou plutôt, mes mollets. Je ne passe pas mon temps à regarder mes mollets dans le miroir. Ils ne sont pas, disons, dans mon champ de vision. Et je n'avais jamais remarqué à quel point j'étais poiluuuuuuuuuuuuuue !!! C'est complètement horriiiiiiiiiiiiiiible ! L'an dernier, je n'avais pas autant de poil !!!!

13 h 45

Dans la salle de bain, à la recherche d'un truc pour me raser.

Moi : MAMAAAAAAAAAAAAAAAN ?

Ma mère arrive dans l'embrasure de la porte de la salle de bain.

Ma mère : Qu'est-ce qui se passe, beauté ?

Si elle pouvait arrêter de glousser de bonheur, ça me rendrait la vie plus supportable.

Moi : Avec quoi tu te rases les jambes ?

Ma mère : Je les épile à la cire. Pourquoi ?

Moi : Il faudrait que tu me montres comment.

Ma mère : Tu es bien trop jeune pour ça !

Moi : J'ai presque quinze ans !

Ma mère : Si tu commences à les raser, c'est pour la vie !

Moi : Si je ne commence pas à les raser tout de suite, je vais avoir l'air d'un gorille !

Ma mère : Ça repousse deux fois plus après !

Moi : Ça ne peut pas être pire que ça !

Et je tire sur quelques poils de ma jambe pour lui montrer et elle me répond (totale bouche bée) par une moue et un hochement de tête approbateurs en me tendant un rasoir.

14 h 27

Les jambes me piquent. Kat m'a dit qu'on s'habitue. Elle se rase les jambes depuis l'été dernier. Et elle m'a avoué que, l'été dernier, elle trouvait que j'aurais dû me raser, mais n'avait pas osé me le dire.

Et elle se prétend ma meilleure amie ? !!! Moi, j'appelle ça de la traîtrise !

Comment j'ai pu être aussi aveugle devant mon abondante pilosité ? Kat dit que ce n'était quand même pas *si pire que ça* l'an passé. J'espère !

14 h 28

J'essaie de passer en revue tous les gens que j'ai croisés l'été passé et qui ont pu penser que j'étais totale poilue.

14 h 29

Bon, il faut étudier.

14 h 30

L'été passé… L'été passé… À part Kat, je n'ai pas vu grand monde.

14 h 35

J'étudie.

14 h 37

Mais le problème, c'est que lorsque je me regardais (je parle au passé, car ça n'arrivera plus jamais) dans le miroir, je regardais davantage mon visage que le reste de mon corps. Je ne m'attardais pas trop aux jambes ni aux pieds, surtout pas à mes mollets. Ou peut-être que je regardais sans voir. En tout cas, heureusement que j'ai eu cette vision d'horreur aujourd'hui, sans quoi j'aurais pu être la risée de l'école.

14 h 39

Étudier. Pas obséder sur mon passé pileux.

14 h 46

C'est juste une question d'autodiscipline. Me raser, je veux dire. J'ai juste à le faire à tous les deux jours et ça ne repoussera jamais. Et tout le monde qui m'aura vue avec des poils oubliera qu'il m'a déjà vue un jour avec une pilosité de quasi-gorille.

14 h 47

Études de géo.

La capitale de l'Ontario : Toronto.

Je me demande si j'ai croisé des Torontois l'an dernier… avec mon poil de mollets.

Hum… Non, pas d'Ontariens à ma connaissance.

Ni personne d'autres provinces.

Ni personne d'autres villes.

L'été dernier, Kat et moi avons passé notre temps à végéter et/ou à aller à l'arcade.

Tommy n'habitait pas dans le quartier, il vivait encore chez sa mère… Donc, il ne m'a jamais vue avec des poils, puisque je porte des jeans en sa présence ou mon uniforme scolaire dont les bas cachent mes mollets.

Ah non ! les gens de l'arcade ont dû voir mon poil de mollets !!!!

Je ne connaissais pas Nicolas à ce moment-là. Fiou ! C'est ce qui compte…

Donc, il n'y a que Kat qui m'a vue, les gens de l'arcade, et peut-être quelques passants dans certains parcs où on végétait (peut-être que certaines personnes étaient originaires de Toronto).

QUELLE HONTE !!!!!!!!!!!!!!!!

Dimanche 18 juin

Conversation surréaliste avec ma mère pendant que j'étudiais mon anglais (et qui me fait penser que je comprends plus l'anglais que le français, même si l'anglais est une des matières qui me causent le plus de difficultés).

Ma mère (qui entre dans ma chambre): Aurélie, as-tu commencé tes bagages?

Moi: Je ne peux pas, j'étudie.

Ma mère: Il faudrait que tu commences à y penser.

Moi: Relaxe, je pars juste dans deux semaines.

Ma mère: Fais comme tu veux.

Moi: Toi, t'es peut-être excitée parce que tu t'en vas en France. Mais moi, je vais juste chez grand-m'man, alors je n'ai pas besoin d'y penser comme tel. Je vais mettre mon linge dans la valise la veille et ça va être correct.

Ma mère: Bon, bon, bon, tu as raison. Continue d'étudier, c'est ça le plus important.

Elle allait partir, puis elle est revenue et elle a ajouté:

– J'oubliais ! J'ai fait retenir notre courrier au bureau de poste, si jamais tu veux aller le chercher…

Moi : Meh ! Pourquoi je voudrais aller le chercher ?

Ma mère : Pour avoir ton bulletin.

Moi : Ah. Ouain… peut-être.

Ma mère (me tendant un papier) : Tiens, voici notre numéro de dossier. Garde-le précieusement. Ah ! Et aussi… Au cas où il m'arriverait quelque chose en voyage, mes papiers sont dans mon classeur gris, dans le placard de mon bureau. Premier tiroir, à droite, un porte-documents bleu en plastique. Ce document contient une photocopie de mon passeport, mes papiers d'assurance, mon mandat d'inaptitude, mon testament avec le nom et les coordonnées du notaire.

Moi : Euh… tu m'as dit qu'il ne t'arriverait rien.

Ma mère : J'ai dit « au cas où il m'arriverait quelque chose ».

Moi : Oui, mais s'il n'est pas supposé t'arriver rien, il n'y a pas de « au cas où ». Il n'y a rien. Il ne t'arrive rien.

Ma mère : C'est juste une précaution.

Moi : Pourquoi tu prends des précautions s'il n'y a pas de danger ?

Ma mère : Au cas où il arriverait… un imprévu.

Moi : Ah-ha ! T'avoues qu'il y a des chances qu'il t'arrive quelque chose ! Alors que tu m'as clairement *promis* qu'il ne t'arriverait rien !

Ma mère : Écoute, il y a de fortes chances qu'il ne m'arrive rien. Mais… on ne sait jamais.

Et je préfère prendre toutes les précautions qui s'imposent.

Moi: ... qui s'imposent *en cas de danger*.

Ma mère (qui me prend les mains et qui me regarde profondément dans les yeux): Aurélie... ma belle choupinette d'amour... Il ne m'arrivera rien. Mais je préférais prendre toutes les précautions pour... te protéger au cas où il m'arriverait quelque chose. Tu comprends?

Non. Je ne comprends rien. C'est totalement illogique, ce qu'elle dit. Si elle prend des précautions, c'est parce qu'il y a des risques qu'il lui arrive quelque chose.

Il devrait exister un livre *Comprendre son adulte*. Ça, ce serait vraiment pratique.

Lundi 19 juin

Semaine la plus stressante de ma vie. Il a fallu que j'oublie tous mes plans de reconquête, tous mes plans d'annulation du voyage de ma mère, pour ne me consacrer qu'à mes examens.

Aujourd'hui, maths en matinée, bio en après-midi.

État général: Très stressée, mais jambes très douces grâce à récente épilation.

Mardi 20 juin

Je repasse dans ma tête le nom des provinces du Canada et de leur capitale. Ce n'est pas un truc de relaxation, mais bien de la matière à connaître par cœur en vue de l'examen. Et il me semble que j'ai tout oublié, même si j'ai essayé de les apprendre en réécrivant les paroles de *Untitled*, de Simple Plan. La mélodie a beau être forte, chantée avec les provinces et les capitales, ça ne ferait pas un aussi grand *hit*.

Mercredi 21 juin

Examen d'arts plastiques.

Question :

Vrai ou faux : Le noir est la somme de toutes les couleurs.

Ah ! facile ! Je l'ai étudié, ça, donc je le sais.

Euh… je l'ai étudié, mais je ne me souviens de rien.

Je bouge sur ma chaise.

Stress total.

Ma mémoire me fait grandement défaut.

C'est la faute de ma mère, aussi ! Sa mémoire à elle lui fait toujours défaut et moi, j'ai hérité de ça !

Je n'aurais pas pu hériter de son beau petit nez retroussé, ben non ! Il fallait que j'hérite du nez de mon père, mais de la mauvaise mémoire de ma mère !

La vie est tellement mal faite !

Un peu de focus ne me ferait pas de tort.

Bon, Louis m'a dit de me faire confiance. Et la vraie réponse était le contraire de ce que je pensais.

Oh boy ! Le contraire de ce que je pensais... Qu'est-ce que je pensais ?

Je l'ai étudié, pourtant. J'avais toute une théorie.

Est-ce que je pensais que le noir était la somme de toutes les couleurs ou l'absence de toutes les couleurs ?

J'ai étudié plein d'autres choses depuis, et je suis toute mélangée.

Oh, je n'arrive plus à me souvenir de ce que je pensais ! J'essaie de me souvenir de ma conversation avec Louis. Qu'est-ce que je lui avais dit, donc ?

Il me reste combien de temps pour finir l'examen ?

Je regarde l'horloge.

Ah ! Il est 11 h 11 !

Cher 11 h 11, je sais que j'abuse peut-être un peu ces temps-ci et que je vous avais dit que vous pouviez oublier tous mes autres souhaits à part celui que Nicolas ne m'ait pas vue vomir, *mais si je pouvais seulement ajouter un petit souhait de rien du tout, ce serait de me souvenir de la réponse à cette question. En tout cas, je vous demande ça comme ça, si vous avez le temps. Merci.*

11 h 12

Bon, bon, bon, réfléchissons. Quand je ferme les lumières, il n'y a pas de couleurs. Donc, je devais penser que le noir est l'absence de couleurs. Ha !

Question :

Vrai ou faux : Le noir est la somme de toutes les couleurs.

Je réponds le contraire de ce que je pense : « Vrai. »

Midi

Ah ! merde ! C'était faux ! Je le savais que c'était faux, en plus ! Même pas capable de me souvenir de ma propre opinion ! Pourquoi j'ai une mémoire infaillible pour les trucs inutiles et pas pour les choses importantes ? Par exemple, je me souviens très bien (et malgré ma volonté) que Jesse McCartney est né un 9 avril, qu'il a une sœur qui s'appelle Lea et un frère qui s'appelle Timmy, qu'il a fait du bungee à l'âge de treize ans et que sa saison favorite est l'automne. Alors, pourquoi je ne suis pas capable de me souvenir de quelque chose que j'ai clairement étudié ? (Pfff ! 11 h 11, pas trop fiable. À moins que l'horloge de la classe ne soit pas réglée à la bonne heure, hum...)

Jeudi 22 juin

L'ÉCOLE EST FINIIIIIIIIE !!!!!!!!!!!!!

Après le dernier examen, il y a eu une fête à l'école, avec des hot-dogs et des jeux organisés profs-élèves.

20 h

Nicolas n'est pas le seul devant qui je fais des gaffes. Monsieur Beaulieu est aussi victime de ma maladresse…

Ce n'est pas entièrement ma faute. C'est que j'ai été obligée de jouer au volley-ball (car personne ne m'a écoutée quand je leur ai dit que j'étais pourrie) et j'ai frappé le ballon, mais au lieu de se diriger de l'autre côté du filet, il s'est dirigé… sur la tête de monsieur Beaulieu, qui parlait au cellulaire à quelques mètres du terrain.

Il n'a pas arrêté sa conversation et il s'est frotté la tête. Puis, quand il a raccroché, il a demandé qui avait lancé le ballon. Timidement, j'ai levé l'index et j'ai dit : « C'est moi… »

Puis, je suis sortie du terrain pour aller m'excuser.

Denis Beaulieu : Tu veux aller en retenue ?

Moi : Ben… l'école est finie…

Denis Beaulieu : Je fais des blagues !

Moi : Ah… est bonne.

Denis Beaulieu : Tu m'en veux d'avoir été sévère avec toi cette année ?

Moi : Ben… juste pour l'affaire du chapeau.

Denis Beaulieu : Du chapeau ?

Moi : Ah, laissez faire… En passant, euh, je dis ça comme ça, pour l'an prochain, il faudrait que vous arrangiez les horloges, elles ne sont pas réglées à la bonne heure.

Denis Beaulieu sourit et répond :

– On va essayer de régler ça entre autres choses. Passe un bel été et… dis bonjour à ta mère.

Moi (en retournant vers le terrain de volley-ball) : OK, cool.

Lundi 26 juin

Yahouuuuuuuuuuuuuu !!!!! Tommy vient de me dire qu'il y a un party chez un gars de son école (Mathieu Quelque Chose) et qu'il lui a demandé d'inviter des filles. Tommy m'a dit que Nicolas serait sûrement là, et peut-être même Truch aussi.

Même s'il n'embarque pas dans nos plans de filles, Tommy est le meilleur espion du monde !!!!!!!!

Super d'avoir un gars de notre bord.

Kat capote. Elle veut que Truch la voie sous son meilleur jour. Et pour moi, c'est l'occasion parfaite pour poursuivre mon plan de reconquête avant de partir chez ma grand-mère !

Tommy nous a laissées parler pendant qu'il jouait des tounes de Malajube à la guitare sans nous écouter (quoique parfois, il secouait la tête et soupirait, ce qui pourrait avoir un rapport avec nous, mais il avait peut-être aussi simplement de la difficulté avec certains accords).

Je crois qu'il ne comprend juste pas les filles.

Mardi 27 juin

Je suis chez Kat et on joue au *Dance Dance Revolution.* Je suis poche à ce jeu, mais j'ai un but : être à mon meilleur au party de mercredi.

Être en forme = être de bonne humeur.

Être de bonne humeur = séduction absolue (selon le *Miss*).

Mercredi 28 juin

Jour du party.

Kat et moi avons suivi à la lettre les conseils coiffure/maquillage du *Miss.* Les trucs de coiffure sont assez difficiles à réaliser et je constate que devenir coiffeur doit demander une dextérité prodigieuse. Kat a choisi un (et c'est comme ça que le coiffeur du magazine l'appelle) « chignon de style décoiffé ». Sauf que, pour le réaliser, ça nous a pris exactement soixante-sept bobépines et une demi-tonne de fixatif !

Pour ma part, j'ai décidé de conserver mes cheveux détachés, mais avec plus de « corps et de volume », avec le truc décrit par le *Miss* qui consiste à se sécher les cheveux la tête à l'envers. Le résultat est assez surprenant (pour ne pas dire assez gonflé).

On a aussi emprunté le maquillage de ma mère, qui nous a donné comme conseil : « Trop, c'est comme pas assez ! » (tout le contraire du *Miss*, qui conseillait de faire un dégradé de trois ombres à paupières, de nous rentrer les joues pour mettre du fard et de terminer ça en beauté par un beau *gloss*). Ma mère nous a prêté un de ses *gloss* hyper brillants qui goûtent la cerise. (Ils devraient commercialiser ce produit comme bonbon et non comme produit qu'on laisse sur la bouche, ça fait juste aiguiser l'appétit.)

17 h 45

Côté look, on a mis de beaux jeans et notre plus beau t-shirt. Rien de trop extravagant, car on a tout misé sur la coiffure.

17 h 50

Ma mère a pris plein de photos avant qu'on parte (top stressante) parce qu'elle nous trouvait « hyper *cuuuuuuuutes* » (ce sont ses mots). J'étais déçue, car le but n'était pas d'être *cutes*, mais pétards. Mais on a joué aux top-modèles pour lui faire plaisir.

18 h 34

Tommy est venu nous rejoindre. Ma mère nous a pris en photo avec lui. J'étais un peu gênée que ma mère tripe « photos ». Mais puisque Kat et Tommy trouvaient eux-mêmes des idées de nouvelles poses, je n'ai pas osé m'obstiner avec ma mère devant eux.

18 h 39

Au moment de notre départ, ma mère a dit à Tommy :

– Tu t'occupes des filles, mon grand ?

Elle l'a vraiment appelé « mon grand » et elle a vraiment dit cette phrase au complet. (Je le jure, je ne vois pas pourquoi je mentirais sur une phrase.)

Note à moi-même : Avoir chaud aux yeux semble être un phénomène de plus en plus fréquent chez moi.

Note à moi-même n° 2 : Peut-être un effet secondaire de tentatives répétées de pyromanie oculaire ratées…

Note à moi-même n° 3 : Ou du fait que ce soit la première vraiment belle journée d'été.

18 h 45

Kat, Tommy et moi sommes allés souper dans un *fast-food*. Tout le monde nous regardait de façon bizarre.

Kat (en me donnant un coup de coude et en pointant de son nez une gang de gars d'environ seize ans) : Tout le monde nous regarde !

Tommy : C'est clair. On dirait que vous êtes dans un nuage de *spray-net* !

Kat : Tu ne connais rien là-dedans ! Ils nous regardent parce qu'on est *hhhhot* !

18 h 52

Tommy a commandé un gros hamburger accompagné d'une poutine, alors que Kat et moi avons commandé de la soupe (pour ne rien avoir entre les dents).

Je regarde ma soupe sans appétit.

Kat : Tu ne manges pas ?

Moi : Bof... Je n'ai plus trop... faim. La soupe est dégueue.

Tommy : T'aurais dû prendre un hamburger.

Kat : Non, elle est correcte.

Moi : Ark !

Kat : Quoi ?

Moi : Elle a comme un petit goût.

Kat : Un goût de quoi ?

Tommy : Un goût de soupe en conserve ?

Kat : T'es stressée ? À cause de...

Moi : De mon *gloss* !

Kat : Hein ?

Moi : Ma soupe goûte dégueu... à cause de mon *gloss*. Franchement, de la soupe au poulet avec du *gloss* aux cerises : pas rapport. De la soupe au poulet aux cerises. Je ne sais pas comment les « madames » font pour porter du *gloss* toute la journée avec ce goût de cerise... Ça tombe sur le cœur. En plus, il y a des petits pois... Je déteste les petits pois ! Ils auraient pu me le dire qu'il y avait des petits pois. Il y en a plein ! Ce n'est pas une soupe au poulet, c'est carrément une soupe aux petits pois ! Pas super. Hé, je vais essayer de me la faire rembourser !

18 h 55

Moi (au commis du *fast-food*) : Allô, j'aimerais me faire rembourser ma soupe, s'il vous plaît, je ne l'aime pas.

Commis : Ce n'est pas ma faute.

Moi : On ne m'avait pas dit qu'il y avait des petits pois, et je déteste les petits pois.

Commis (en pointant une photo de la soupe sur le comptoir) : Ben… c'est sur la photo… les pois.

Moi : Je ne l'avais pas vue.

Commis : On ne fait pas de remboursement.

Moi : Je n'aime pas ma soupe. Je ne suis pas satisfaite. Et je suis une bonne cliente !

Commis : Je ne peux rien faire.

Moi : En tout cas, il y a d'autres restaurants qui ont une meilleure politique. J'imagine que vous n'avez pas besoin de ce genre de publicité parce que vous êtes multimilliardaire, mais…

Kat (qui me prend par le bras et qui me traîne loin de la caisse) : Euh… viens-t'en.

18 h 59

Kat m'a sermonnée en me disant que je ne lui avais jamais fait aussi honte. Que si tout le monde qui porte du *gloss* aux cerises se faisait rembourser sa bouffe, les restaurants feraient faillite, etc., etc. Pendant ce temps-là, Tommy nous regardait et il souriait en coin. J'ai eu beau lui dire qu'il y avait aussi la question des petits pois, elle m'a dit, et je cite : « T'as voulu passer ton stress de revoir Nicolas sur un pauvre commis de *fast-food.* » Kat me connaît tellement MAL ! J'ai, depuis peu, des convictions, et un sens de plus en plus accru de la justice. Si j'avais été allergique aux petits pois, ç'aurait pu être très dangereux de ne pas être avertie que la soupe en comportait. J'aurais été obligée d'appeler le 911 et de manquer le party pour lequel j'ai mis beaucoup de temps à me préparer, ce qui aurait vraiment été embêtant ! Et ça m'aurait coûté cher (vu les frais élevés de transport en ambulance) pour une soupe dégueulasse ! Franchement, ça m'étonne que Kat ne comprenne pas ça.

19 h 17

Même si nous sommes arrivés dix-sept minutes après l'heure où nous étions conviés, nous sommes arrivés en premier (top téteux). Nicolas n'était pas encore là. Truch non plus.

19 h 23

Kat et moi révisons les conseils de reconquête du *Miss*. Ce soir, je vais 1) avoir l'air d'avoir du *fun*, 2) agir de façon indépendante, et 3) adopter une attitude inaccessible.

19 h 38

Les gens commencent à arriver. Kat et moi nous regardons les cheveux et sommes un peu mal à l'aise de notre look.

Kat : Tu crois qu'on en a trop mis ?

Tommy : C'est clair.

Kat : C'est à Au que je parle !

Tommy : 'Scuse-moi de dire des évidences.

19 h 47

Tout le monde est arrivé. La musique est de plus en plus forte. Tommy est allé parler à d'autres personnes qu'il connaît (ce qui m'a soulagée parce qu'il y a trop de friction quand Tommy et Kat occupent le même espace vital).

Kat (à mon oreille, très peu subtile) : Retourne-toi pas, mais Nicolas est assis juste là.

Je me retourne vivement tout aussi peu subtilement et j'aperçois Nicolas, puis je reviens à Kat.

Kat (en chuchotant/criant, très bizarre) : JE T'AVAIS DIT DE NE PAS REGARDER !

19 h 48

Truc expérimenté : Ne pas lui parler, être indépendante et inaccessible.

Je ne parle qu'à Kat. Et je regarde parfois Nicolas du coin de l'œil, mais ça ne semble pas le séduire, car on dirait qu'il n'a même pas remarqué que j'étais là.

19 h 54

Truc expérimenté : Avoir du *fun*.

Moi : HAHAHAHAHAHAHAHAHAHA HAHAHA ! AAAAAAAAAH ! KAT !!!!! T'ES TEEEEEEEEEELLEEEEEEEEEEE-MEEEEEEEEEEEEENT DRÔLE ! (À Kat) Est-ce qu'il m'a vue avoir du *fun* ?

Kat : Hum… Non. Il ne te regardait pas.

Humph.

20 h 01

Truc spontané : Les grands moyens !

Moi : Tommy, va proposer au monde qu'on joue à la bouteille.

Tommy : Non !

Moi : S'il te plaît, s'il te plaît, s'il te plaît !

Un gars, Jean-Michel, passe près de nous et dit :

– Hé, tu veux jouer à la bouteille ? Bonne idée !!! Elle est cool, ton amie, Tommy boy !

Moi (à Tommy) : Tommy boy ?

Tommy : Laisse faire, Laf…

20 h 04

Tout le monde s'installe en cercle. Jean-Michel a pris une bouteille vide de Sprite qu'il a placée au milieu de nous. Nicolas est assis de biais à moi et je m'efforce de ne pas le regarder, mais je prie secrètement pour que, lorsque ce sera son tour ou le mien, le goulot nous pointe, afin que l'on puisse s'embrasser une fois pour toutes et qu'il redécouvre son amour pour moi.

20 h 05

Au moment où on allait commencer à jouer, Truch est arrivé. Kat a rougi, mais elle semblait correcte. Elle l'a regardé, lui a souri, puis a reposé ses yeux sur la bouteille au milieu du cercle.

Puis, il lui a donné trois petits coups sur l'épaule et il lui a dit quelque chose à l'oreille et elle s'est retirée du jeu avant qu'il ne commence.

20 h 15

Ça fait dix minutes qu'on joue et la bouteille n'est pas encore tombée sur moi. Et j'ai été obligée de regarder Nicolas embrasser une super belle fille rousse (qui s'appelle supposément Laurianne, grrrr).

Puis, quand Tommy a tourné la bouteille, elle est tombée… sur moi. Je ne m'en suis pas rendu compte tout de suite parce que j'étais plongée dans mes pensées et j'imaginais toujours Nicolas en train d'embrasser Laurianne quand j'ai vu Tommy s'approcher de moi. J'ai semi-sursauté, j'ai senti mes yeux devenir ronds comme des billes, j'ai regardé Nicolas, qui me regardait pour la première fois (me semble-t-il) de la soirée et, pendant une fraction de seconde durant laquelle le temps s'est arrêté, je n'ai pas su quoi faire. Embrasser Tommy raviverait en Nicolas des souvenirs qui ne seraient pas bons pour mes plans de reconquête, mais ne pas l'embrasser humilierait mon ami.

Puis, contre toute attente, Tommy a dit :

– Hé, ce jeu est con. Je ne peux pas embrasser Aurélie. C'est mon amie. Je passe mon tour.

20 h 52

Je suis assise sur un divan. Seule. Kat parle à Truch. Tommy parle à une gang de gars. Je me sens totale rejet. Et j'ai encore une fois chaud aux yeux. Sans doute à cause de la canicule et du fait que la maison de Mathieu est dépourvue de climatisation adéquate pour un temps pareil.

Je me sens ridicule avec mes cheveux tout gonflés. Je regarde Kat et je conclus que nos coiffures ont l'air d'un signe pour que les extraterrestres puissent nous repérer de Jupiter. Espèce de *Miss* qui donne des conseils cons ! Comment ma mère a-t-elle pu me laisser quitter la maison comme ça? Ça ne me surprend pas d'elle. Dans nos albums photo, certains de ses looks étaient horribles lorsqu'elle était plus jeune. Elle avait le toupet six pouces de haut, des boucles d'oreilles en forme d'anneaux de la même grandeur que ses joues et des chemises hyper quétaines avec des imprimés de journaux. Elle n'est pas digne de confiance au sujet de la mode!

Mes plans de reconquête sont complètement à l'eau puisque, pour l'instant, je n'ai pas du tout l'air de me faire du *fun*, ni d'une fille qui a des choses passionnantes à raconter, ni d'une fille indépendante, ni d'une fille inaccessible.

Pour passer le temps, je passe ma main dans mes cheveux pour tenter de les dégonfler un peu.

20 h 53

Je suis sur le point de prendre la décision de partir lorsque je vois Nicolas s'approcher de moi.

20 h 54

C'est confirmé: Nicolas s'avance dans ma direction. Je balance ma tête vers le bas, entre mes jambes (question de redonner du corps, réf.: *Miss Magazine* dans l'article de la section mode/beauté intitulé « Être à son meilleur avec des cheveux droits »), avant qu'il n'arrive. Je n'ai peut-être pas tout fait ça pour rien, après tout. Malheureusement, au moment où je relève la tête, il est déjà devant moi et mes cheveux forment une masse informe (bon, je n'ai pas de miroir pour vérifier, mais ils ne sont pas retombés normalement de chaque côté de mes oreilles, alors j'imagine qu'ils sont quelque part et j'en déduis : masse informe sur ma tête). Je secoue un peu la tête pour les replacer (à coup sûr, il va penser que j'ai développé plein de tics) et une grosse touffe de cheveux se prend dans mon *gloss*. (Ah non ! il va croire – comme les gens qui m'ont aperçue avant ma découverte du rasage corporel – que je suis une fille à forte pilosité, calibre femme à barbe.)

P.-S. Avant de venir ici, j'aurais dû dire à mes cheveux de prendre moins de place.

20 h 55

Nicolas : Salut.

Je replace un peu mes cheveux, mais je n'arrive pas à dégager une mèche prise dans mon *gloss* et j'essaie de souffler pour la tasser.

Moi : Ffff salut.

Mon cœur : Poum-poum !

Nicolas : Ça va ?

Moi : Ffff ça ffffff va.

Mon cœur : Poum-poum-poum-poum !

À proscrire à l'avenir : le *gloss*. Peut causer le zozotage et/ou un petir air snob.

20 h 57

Nicolas approche sa main droite de mon visage, et, au moment où je me dis qu'il veut m'embrasser et peut-être même reprendre et que je commence à lever le menton pour l'approcher de son visage, il dégage mes cheveux de ma bouche et retire sa main presque aussitôt. Malaise.

20 h 58

Nicolas et moi sommes l'un en face de l'autre et, depuis une longue minute, silencieux.

Du coin de l'œil, je regarde Kat parler à Truch, et elle semble être parfaitement en contrôle de la situation. Elle fait des ballounes avec sa gomme chaque fois que Truch approche un peu d'elle et il rit. Ils ont presque l'air complices. Kat joue parfaitement à l'inaccessible.

Je brise le silence en demandant :

– Est-ce que t'aimes encore la gomme au melon ?

Lui : Oui.

Moi : T'en as ?

Mon cœur : Poum-poum.

Lui : Oui, tiens.

Il m'en donne une.

Moi : Merci.

Mon cœur : Poum-poum-poum-poum.

Je commence à mâcher, mais je me détourne un peu de son champ de vision, car la gomme est un peu dure et j'ai l'impression d'avoir davantage l'allure d'une vache qui broute que celle d'une fille *sexy*.

Lui : Ça fait longtemps... qu'on ne s'est pas parlé.

Moi (en mettant ma main devant ma bouche pour cacher ma façon nullement gracieuse de ramollir la gomme) : Mets-en.

Mon cœur : Poum-poum-poum-poum-poum.

Moi (en mâchant la gomme de mieux en mieux) : Sais-tu ça fait combien de temps ?

Lui : Non.

Moi (en mâchant la gomme de façon de plus en plus nonchalante) : Pfff ! Moi non plus.

Quatre-vingt-deux jours.

Mon cœur : Bam-bam-bam-bam-bam.

Moi : Mais… je t'ai vu à La Ronde, l'autre jour. Toi… ?

Le flash-back de moi en train de vomir dans la poubelle traverse mon esprit.

Lui : Non.

FIOUUUUUUUUUUUUUU !!!!!!!! MERCI, MERCI, MERCIIIIIIIIIIIIIIIIIIIIIIII !

Lui (qui continue) : Tu n'es pas venue me voir ?

Moi : J'étais… dans un manège.

Lui : C'est cool que tu sois là… ce soir.

Mon cœur : BAM-BAM-BAM-BAM-BAM !

Vite, utiliser mon arme secrète de charme absolu : ma gomme. Je regarde Kat agir et j'essaie de prendre la même position, le visage un peu penché vers le côté, le regard vers lui tout en mâchant la bouche ouverte en faisant des ballounes dans des moments stratégiques. Je crois qu'on peut dire que maintenant est un moment stratégique.

Je place mon visage, le regarde avec des yeux charmeurs et un léger battement de cils, je mâche, je place ma gomme sur ma langue et je souffle très fort pour faire une balloune.

Après un « tffffff » bien senti, je vois ma gomme sortir de ma bouche pour atterrir tout droit sur la joue de Nicolas, bien enrobée de salive, pour ensuite glisser tranquillement vers son menton.

Note à moi-même: Finalement, le voyage de ma mère est la meilleure chose qui pouvait m'arriver dans la vie. Aller passer l'été à la campagne, chez ma grand-mère, ne peut être que bénéfique et très reposant.

Note à moi-même n° 2: Voir si c'est possible de déménager là-bas de façon permanente.

Juillet

Mes aïeux !

PARIS

tommy
@
fullmail.com

Hi! Hi!

Hi Hi !

TOTAL
CHEAP SHOT

Cher 11:11
je fais un vœu !!

KAYA... AAARK !!
DES ARAIGNÉES !!

BROSSE
POUR
B.B.Q.

GRENOUILLE !!

BONG
BONG

AURÉLIE !! VIENS
SOUPER !

15
ANS

NOTE : PIRE MOMENT DE MA VIE.

Lundi 3 juillet

Quand on commence à voir des champs remplis de vaches, de chevaux et de moutons sur le bord de la route, c'est signe qu'on approche de chez ma grand-mère.

En entrant dans son auto, après qu'on se soit dit bonjour, elle m'a dit :

– Pis, Aurélie, raconte-moi ta vie !

J'ai répondu :

– Je suis née, je vis, pis je vais mourir un jour.

Ce qui a mis fin à la période de questions (si elle veut des réponses précises, elle n'a qu'à poser des questions moins floues) et également à toute conversation (de ma part, surtout) et qui m'a permis de regarder le paysage en repensant aux derniers jours.

Je ne peux m'empêcher de revoir ma gomme descendre le long de la joue de Nicolas. Petit événement après lequel je ne savais pas quoi faire. Prendre la gomme et m'excuser ? Rire ? Me sauver à grandes enjambées ? En fait, ces trois options auraient été bonnes. Mais, sur le coup, j'ai juste figé, la bouche grande ouverte. Et « figer-la-bouche-grande-ouverte » n'est *jamais* une bonne option. J-A-M-A-I-S ! Nicolas a pris la gomme sur sa joue et il me l'a redonnée. REDONNÉE ! Chaque fois que je pense à ça, je me pète la tête sur le mur le plus proche (la vitre de la voiture de ma grand-mère, en ce moment).

Ma grand-mère : Ça va, ma belle fille ?

Moi : Oui… c'est juste l'odeur…

Ma grand-mère : Le purin ? Ah, on s'habitue, tu vas voir !

À vrai dire, le purin qui envahit mes narines (et mon paléocortex), c'est très thérapeutique : impossible de me souvenir de la bonne odeur de Nicolas.

Mais, bref. Après m'avoir redonné ma gomme, il m'a dit, et je ne cite pas du tout : « Je t'ai toujours trouvée plus belle au naturel. » En fait, la conversation, c'était plus quelque chose du genre :

Lui : On dirait que… t'es différente.

Moi (encore énervée par ma gomme que J'AI REMIS DANS MA BOUCHE COMME UNE VRAIE TARTE !!!) : Oh non, je suis toujours comme ça, t'as juste une super mauvaise mémoire, genre…

Lui : Je ne t'avais jamais vue maquillée.

Moi : C'est juste parce que… ça fait longtemps que tu m'as vue.

Et c'est là qu'il m'a dit : « Je t'ai toujours trouvée belle… naturelle. » (Il n'a pas dit « *plus* belle », mais c'est ce que je crois qu'il voulait *vraiment* dire, donc qu'il me trouvait moins belle *en ce moment* et c'est pour ça que je rajoute le « plus » quand je me remémore cette phrase.)

J'ai le droit de faire ce que je veux! (Mais, malgré tout, mon choix sera de rester naturelle dorénavant et ça n'a rien à voir avec son commentaire, c'est seulement parce que c'est plus simple et que je trouve que ça ne sert à rien de perdre tout ce temps à suivre les conseils beauté très compliqués du *Miss*...)

Bizarrement, ça m'a un peu insultée. Et, par la suite, je n'avais plus trop envie de lui parler et je suis partie.

Au party, Tommy a embrassé une fille et Kat a discuté avec Truch. (Je suis certaine que ce n'était pas tant une discussion qu'un monologue de la part de Truch, mais bon, je ne l'ai pas dit à Kat, car elle trouverait que je joue sur les mots.) Pour elle, l'opération charme semble avoir fonctionné. Et elle m'a avoué qu'elle avait envie de me dire depuis longtemps qu'elle ne l'avait jamais oublié totalement. Et que le fait de le revoir et qu'il lui dise qu'il s'ennuyait d'elle lui avaient fait du bien. Je lui ai demandé si elle voulait reprendre avec lui et elle a juste souri. J'ai dit:

– Tu ne veux pas ressortir avec lui, quand même?!!!

Et elle a répondu:

– Ben... ben non! J'étais juste contente de voir que je n'avais pas été «rien» pour lui.

Vu qu'on était dans sa chambre, Julyanne est arrivée, nous a interrompues pour je-ne-me-souviens-plus-quoi et nous n'avons jamais pu reprendre cette conversation.

J'aurais peut-être dû me faire le même chignon que Kat, finalement…

Le lendemain, ma mère m'a organisé un souper de fête avant le temps avec Tommy et Kat (et François Blais, rapport?), vu qu'on serait aux quatre coins du monde le vrai jour de ma fête. C'était cool. Et ma mère m'a fait un super bon gâteau au chocolat sur lequel elle avait écrit mon nom avec des Nibs! Trop cool!

Puis, hier, j'ai fait ma valise. Pas facile. Mais j'ai décidé d'y aller avec la simplicité: tout apporter. Ma réflexion était simple: admettons que je me lève un matin et que j'aie envie de porter telle chose et que je ne l'aie pas, je serais très déçue et je serais obligée de me complaire dans une espèce de marasme profond où je me répéterais que j'aurais tant aimé avoir telle chose et que j'aurais préféré être chez moi et tatata. Conclusion: Valait mieux que j'apporte tout. Comme ça, je m'éviterai bien des crises de marasme profond.

Ensuite, Kat est partie au camp, Tommy, chez sa mère et, ce matin, ma mère et François sont partis en France.

À bien y penser, ça me fait plaisir qu'elle aille en voyage en France avec François Blais. Bon, évidemment, j'ai beaucoup réfléchi et il s'agit quand même de son patron. L'empêcher d'aller en voyage aurait pu nuire à son avancement professionnel. Bon, elle sort avec lui.

C'est sûr qu'elle croit qu'elle aura des moments romantiques et tout et tout. Car elle ne semble pas du tout au fait de ce léger détail: François Blais est un être absolument machiavélique. Si ça se trouve, ma mère, qui croit qu'elle a rencontré « l'homme de sa vie » (en suppléance de mon père), sera non seulement déçue amoureusement parlant, mais elle perdra également son emploi. Mais elle n'y a pas pensé. Non. Elle est juste contente d'aller en France. Je la comprends un peu. Après tout, visiter d'autres pays est une expérience intéressante. Pour sa culture personnelle et tout. Le travail, on peut toujours s'en trouver un nouveau. La culture, c'est plus compliqué.

13 h 12

Oui, je me sens très zen par rapport à ça. Et si ma grand-mère n'écoutait pas en ce moment une station radio de musique de grand-mère et que je n'avais pas oublié de recharger ma batterie d'iPod, je me sentirais encore plus zen.

13 h 13

Je me sens assez fière également de ma grande maturité face aux choses. Bon, d'accord, je ne suis pas du genre à tenir deux secondes en place devant un bulletin de nouvelles, mais je suis capable de penser à certains événements (comme cracher une gomme dans la face de mon ex et la future perte d'emploi de ma mère) de façon très détachée.

13 h 15

Ma mère est intelligente. Elle va se rendre compte que F.B. est Satan.

13 h 16

Et Nicolas sait que je n'ai pas fait exprès pour la gomme.

13 h 17

Mais si elle ne le découvre pas ?

13 h 18

Il sait que ce n'était pas par vengeance, du genre : « Regarde ce que ça fait d'avoir quelque chose de dégoulinant dans ta face ! » Il est plus intelligent que ça.

13 h 19

Non, elle est intelligente, et il va se planter à un moment ou à un autre.

13 h 20

Aaaaaaaaaaaaaaah ! espèce de musique insupportable de grand-mère !!!!!!!

13 h 21

Soyons zen. Ha-Houm. Ha-houm.

15 h 01

Je suis arrivée chez ma grand-mère il y a une heure. En entrant dans la maison, elle m'a fait part, sur un ton très emballé, de toutes sortes de choses concernant la maison et mon séjour, mais la seule que j'ai retenue est qu'elle avait maintenant une connexion Internet, comme je le lui avais demandé. Puis, elle m'a conduite à sa chambre d'amis, qu'elle avait toute préparée pour moi. J'ai fait un gros « Wooooow merciiiiiii » très forcé. N'importe qui aurait pu réaliser à quel point mon enthousiasme débordant extérieur compensait pour celui qui me manquait à l'intérieur. Pas ma grand-mère. Elle semblait satisfaite de ma réaction. Fiou. Après tout, je ne veux pas lui faire de peine. Et ce n'est pas sa faute si je me sens comme ça. Elle est gentille de m'accueillir. Avec Sybil (qui a dormi dans la voiture pendant tout le voyage).

16 h 25

J'ai commencé à mettre des affiches dans ma chambre, question de « personnaliser mon espace » (suggestion et vocabulaire de ma mère). Ma grand-mère est entrée et, en voyant mon affiche de *Smallville* avec Tom Welling en bedaine dans un champ de maïs avec le S rouge de Superman dessiné sur son torse, elle a poussé un grand cri et elle a dit :

– Aurélie !!! Est-ce que ta mère le sait que tu mets des gars tout nus dans ta chambre ?

Élévation de mes yeux vers le ciel. Au secours. Je suis en enfer.

Mardi 4 juillet

Je déjeune. Il fait beau dehors. Sybil semble s'être très bien adaptée à son nouvel environnement et se frotte contre les jambes de ma grand-mère qui lui donne du lait. Puis, ma grand-mère s'assoit et me demande tout à coup, comme ça, si j'ai bien dormi, ce qui me rend totalement mal à l'aise.

Je décide de ne pas répondre.

Elle pose la question une deuxième fois.

Je vois son paquet de cigarettes et je lui lis la mise en garde, comme quoi c'est dangereux pour sa santé.

Elle pose la question une troisième fois.

Je lui dis qu'elle a une belle lampe au-dessus de sa table.

Elle pose la question une quatrième fois.

Je lui dis que j'ai entendu dire que ça pouvait être dangereux de donner du lait aux chats.

Ma grand-mère : Ça va, Aurélie ?

Moi : C'est pour Sybil que je dis ça…

Ma grand-mère : Tu n'as pas bien dormi, ma belle fille ? Tu peux me le dire, on peut arranger ça pour que tu sois plus confortable.

Moi : Ce n'est pas ça ! C'est juste que… Je n'aime pas qu'on me pose cette question. C'est tout.

Ma grand-mère : Pourquoi ?

Moi : Parce que ça ne me tente pas d'y répondre trente-quatre millions de fois dans ma vie. C'est quoi le but ? Pourquoi il faut parler de notre sommeil aux autres ? Te rends-tu compte si tu dors bien ou non, toi ? C'est quoi, bien dormir ? C'est quoi, la différence avec « mal dormir » ? Je m'endors et je ne me rends pas compte de mon sommeil. C'est quoi, le sommeil ? Hein ? C'est un état qu'on ne comprend pas. Comment on y plonge ? Comment on se réveille ? T'sais, c'est juste bizarre. Alors, comment on fait pour savoir si on a bien dormi ? Bien dormi... comparé à quoi ? Si tu me poses une question précise, genre : « L'oreiller était-il confortable ? » Là, je pourrai te répondre quelque chose comme : « Je préfère le tissu synthétique aux plumes. » Si tu me demandes : « As-tu eu froid cette nuit ? » Je pourrai dire oui. C'est précis. Mais à savoir si j'ai bien dormi ou non, ça, je ne le sais pas. C'est une fausse question, car les gens veulent seulement qu'on réponde « oui ».

Sybil a grimpé su les genoux de ma grand-mère qui a commencé à la flatter en lui disant :

– Elle est bizarre, ta maîtresse, hein ? Ben oui ! Ben oui ! T'as un beau petit nez rose, toi ! Un beau petit nez ! Un beau beau beau beau beau petit nez ! Oh, que t'es belle-belle-belle ! Oh, que t'es belle !

Je crois qu'elle est sénile.

21 h 13

Ce que j'ai fait aujourd'hui :

- Lu quelques magazines.
- Fait tous les tests du « spécial tests » du *Miss Magazine* (sauf ceux qui parlaient d'amour).

J'y ai appris que je ne suis pas une bonne magasineuse, que mon animal totem est le castor (ça m'a un peu déçue, j'aurais préféré la panthère), que je ne suis pas trop du genre plein air (quelle surprise !), que je m'y connais assez bien en télé et en cinéma, que mes cheveux révèlent que j'ai une personnalité classique (j'aurais préféré rebelle) et que je suis une fille de party (j'ai triché un peu pour les réponses : je sais, pathétique).

• Ramassé la crotte dans la litière de Sybil.

• Répondu à ma grand-mère qui me demandait ce que je voulais manger (spaghetti).

• Regardé les photos de ma mère, de Kat et de Tommy.

• Flatté Sybil.

• Souri à ma grand-mère.

• Lu des *Archie*.

• Tourné mes pouces pour voir si l'expression était adéquate pour les moments où on n'a rien à faire (pas pire, mais on se tanne vite...).

• Lu d'autres magazines (ceux de ma grand-mère, j'en ai beaucoup appris sur la ménopause, je sais exactement quoi faire quand ça m'arrivera).

• Pris Sybil dans mes bras, mais elle voulait absolument retourner par terre.

• Joué à Mario Kart (mais je crois que je suis tannée de ce jeu).

• Classé mes vêtements par couleurs (ne jamais dire à ma mère que j'ai fait ça, sinon elle me conseillera de faire ça dans ma propre chambre).

• Regardé le calendrier de ma grand-mère avec des paysages du Québec (les pages des mois de mai et d'octobre sont mes préférées).

• Bu un lait au chocolat (je n'avais pas mélangé la poudre de cacao, ce qui m'a permis de manger comme une pâte au chocolat quand il ne restait plus qu'un peu de lait, mmmm, très bon).

• Fait le tour de la maison à pied.

• Répondu au téléphone (c'était Monique, la voisine de ma grand-mère).

• Été un peu déçue de ne pas avoir eu de nouvelles de ma mère.

• Senti les lilas (ce qui m'a fait éternuer).

• Aidé ma grand-mère à faire la vaisselle (sans lave-vaisselle).

• Lu encore d'autres magazines (les offres d'abonnement, surtout, vu que j'avais lu tous les articles).

• Écouté (entendu) le tic-tac de l'horloge.

• Répondu au téléphone, cette fois, c'était ma mère pour me dire que tout allait bien et qu'elle était arrivée à son hôtel, et qu'elle allait se reposer, car elle était sur le « jet set » (elle a vraiment dit « jet set »), ensuite elle s'est reprise et elle a dit en riant le « *jet lag* » et ensuite, je lui ai dit: « Parle donc français, ça va être moins compliqué ! » Et elle a fini par dire, dans un total fou rire, qu'elle était sur le décalage horaire. Et j'entendais François Blais rire en arrière d'elle. Et je lui ai dit, à travers mes dents serrées, que c'était le *fun* qu'elle ait « du *fun* ». (Honnêtement, mon grognement est plus celui d'une panthère que celui d'un castor. Un castor ne grogne pas, il me semble, quoique, bien que ce soit mon animal totem selon le *Miss*, je m'y connaisse très peu en castor, alors je ne peux jurer de rien.)

• Eu envie de m'abonner à un magazine de cuisine (la prime d'abonnement était un assortiment de chocolats de luxe. DE LUXE !!!).

• Pratiqué ma signature.

• Lu mes courriels (Tommy m'a écrit pour me dire allô et pour me transférer un Youtube vraiment drôle).

• Chatté sur le Net avec des fans de Jesse Macarthy. (Ils l'aiment pas à peu près !)

• Regardé *Les frères Scott*, en rediffusion à Vrak.tv (je ne me tanne jamais).

• Rebranché le Nintendo pour rejouer à Mario Kart, même si je suis tannée du jeu.

• Découvert que ma meilleure signature est lorsque je continue le « e » d'Aurélie en faisant un demi-cercle qui se termine en étoile sur le « i ».

• Été irritée par le tic-tac de l'horloge.

• Flatté Sybil et, cette fois, elle s'est laissé faire (je l'avais amadouée avec du lait, truc de ma grand-mère).

• Rongé mes ongles (aléatoirement dans la journée).

• Allée au lit (enfiiiiiiiiiiiiiin ! Une journée de passée).

Mercredi 5 juillet

Ma mère m'a conseillé de sortir un peu pour me faire des amis. Et ma grand-mère m'a dit où se tenaient les jeunes. Ce n'est pas si loin, c'est un parc derrière l'église, qui est située en face de chez elle.

16 h 15

Il n'y a personne au parc pour l'instant. Je décide de m'asseoir sur une balançoire et d'attendre. Si du monde de mon âge arrive, je me demande ce que je pourrais leur dire. « Allô, je m'appelle Aurélie. » Ou « Allô, moi, c'est Aurélie, je suis nouvelle… » ou à la James Bond « Allô, Laflamme, Aurélie Laflamme ».

16 h 17

Juste « Allô, je m'appelle Aurélie », ça va être correct.

16 h 32

Il y a une maman qui arrive avec son bébé. Je lui fais des grimaces et il rit. Ce qui me réconforte quant à mes aptitudes sociales (même si je ne ferais jamais des grimaces à d'éventuels amis de mon âge).

16 h 45

C'est long.

16 h 47

Je commence à avoir mal au cœur (et aux fesses) à force de me balancer.

16 h 52

Toujours personne.

16 h 53

Oh ! *yes* ! Une gang arrive. Ils s'installent sur les balançoires en face de moi. Je leur souris, me souvenant tout à coup d'un article du *Miss* intitulé « Comment se faire des amis » qui suggérait de sourire.

16 h 59

Comme ça fait quelques minutes que la gang me regarde et qu'on se sourit mutuellement, je décide de m'approcher et de me présenter. En m'avançant vers eux, je me sens intimidée et mon cœur bat vraiment fort. Il faut que je dise : « Allô, je m'appelle Aurélie. » C'est un dur moment à passer, mais après je vais avoir des amis pour le reste de l'été. Yahou !

17 h

Je suis devant eux. Je vais le dire à « go ». Un, deux, trois, go…

– Allô, moi, c'est Aurélie…

– AURÉLIEEEEEE ! VIENS SOUPER !!!!!!!!!!

C'est ma grand-mère qui crie de sa maison.

La gang me regarde. Ma bouche s'ouvre toute seule et émet un faible :

– Euh… Bye.

Et, sans leur laisser le temps de parler, je me sauve en courant pendant que ma grand-mère continue de me crier à tue-tête de venir souper.

Note à moi-même : Pour les archives de ma vie, ce moment pourra être classé dans les pires.

P.-S. Après cette humiliation, il est clair que je ne sortirai plus de chez ma grand-mère pour le reste de l'été. C'est décidé et sans appel.

Jeudi 6 juillet

Je suis une meurtrière en série.

Et je me sens hyper coupable.

Hier, j'ai tué une fourmi. Et je suis rongée par le regret. Ici, je partage ma chambre avec nombre d'insectes. Il y a même certaines espèces que je n'avais jamais vues avant. Chaque fois – même les araignées –, ça me fait quelque chose de les écraser. Il faut dire que les araignées sont tellement grosses qu'elles pourraient avoir un passeport ! (Les araignées, je ne les tue pas moi-même, je crie comme une déchaînée, je pleure et ma grand-mère s'en occupe.)

Alors, voilà. Hier, j'ai vu une petite fourmi près du divan dans le salon et, sans trop réfléchir, je l'ai écrasée. Une demi-heure plus tard, je suis retournée sur ce qu'on pourrait appeler « les lieux du crime », je me suis penchée pour attacher mes souliers et j'en ai vu… un million !!! (Peut-être trois cents, pour être plus exacte.) Paniquée, je suis allée chercher une bouteille de nettoyant à cuisine en vaporisateur et j'ai « pouiché » le liquide sur les fourmis. Elles sont mortes empoisonnées. (Je crois… je ne suis pas experte en assassinat, quand même!) Puis, j'ai ramassé les carcasses avec des essuie-tout (horrible).

Ce matin, j'ai vu encore plein de fourmis près du divan. Elles ramassaient… tous les corps morts de leurs amies fourmis décédées que je n'avais pas ramassés avec les essuie-tout après le génocide!!! Elles les ont mis dans un coin! Comme un cimetière! ABSOLUMENT CRÈVE-CŒUR!!!!!!!!!! Comment je peux en tuer d'autres maintenant????

C'est pour ça que je dis que je suis une horrible meurtrière en série!!!!!!!!!!!! J'ai fait de la peine à des fourmis qui ne m'avaient rien fait et qui voulaient seulement manger mes graines de chocolat que j'avais échappées près du divan. Elles ont le droit d'aimer le chocolat, elles aussi!

20 h

Ma grand-mère a mis un piège à fourmis. Il paraît que ça tue la reine. Barbare.

P.-S. Je me demande à partir de quelle grosseur d'animal on peut se considérer comme meurtrier. Est-ce que, si jamais il existe un paradis, comme le croit ma grand-mère, je serai autant punie pour avoir tué trois cents fourmis que si j'avais tué, disons, trois cents chiens? La culpabilité est-elle proportionnelle au poids de nos victimes?

P.P.-S. S'il y avait un organisme de défense des droits des insectes, est-ce qu'on pourrait se retrouver envahis de bibittes ? Est-ce que, dans le fond, je contribue à, disons, l'écosystème ?

P.P.P.-S. Ou un genre d'équilibre de la nature ? Oui, peut-être que, dans le fond, je rééquilibre les choses : je crée des bibittes dans ma garde-robe, mais j'en élimine dans le salon chez ma grand-mère. (???)

Note à moi-même : PARTICIPER À L'ÉCOSYSTÈME ET/OU L'ÉQUILIBRE DE LA NATURE PEUT S'AVÉRER VRAIMENT TRAUMATISAAAAAAAAAAAAAANT !!!!!!!!!!

Vendredi 7 juillet

Chaque matin, ma grand-mère me pose une nouvelle question ayant un rapport avec ma nuit, mais qui n'est pas : « As-tu bien dormi ? »

Ce matin, c'était : « As-tu remarqué que j'ai placé un sachet de lavande dans ta chambre pour que ça sente frais ? As-tu bien *respiré*, cette nuit ? »

J'avoue que je la trouve *cute*.

13 h 15

YÉÉÉÉÉÉÉÉÉÉÉÉ !!!!!!!!!!!!!!! Un courriel de Kat !!!!!!!!!!!!!

À : Aurélie Laflamme
De : Katryne Demers
Objet : Des nouvelles de moi

Salut, Au !

Désolée de ne pas t'avoir donné de nouvelles avant… J'ai été pas mal occupée, au camp. En fait, j'essayais d'attendre d'avoir de bonnes nouvelles avant de t'écrire. Le camp ne se passe pas trop comme prévu, si tant est que j'avais prévu d'avoir du *fun*. En tout cas, je me comprends…

Quand je suis arrivée, j'étais très excitée. Je n'ai presque pas dit au revoir à mes parents. Il y avait plein de chevaux partout : je capotais !

Puisque je suis arrivée une des dernières (c'est à cause de Julyanne qui voulait écouter la fin de *Totally Spies !*), j'ai eu une des moins bonnes chambres. Tout le monde, dans le chalet, a une chambre pour deux personnes. Moi, j'ai une chambre pour cinq personnes, au bout du corridor. Et, quand je suis arrivée, il y avait déjà quatre filles. Quand je suis entrée, Émily, une fille frisée qui avait l'air de la « boss de la chambre » (et des bécosses, tant qu'à moi), m'a dit qu'en cas de feu elles s'étaient arrangées pour sortir une à la suite de l'autre et, comme je suis arrivée la dernière, je devrais sortir en dernier !

Bref, en résumé, selon son plan, s'il y a un feu : je brûle !

Et je ne te parle pas de leur réaction quand elles ont vu mon sac de couchage des princesses de Disney…

En plus, puisque le camp s'appelle Le camp la vigie, on doit chanter tous les matins: *Au camp la vigie* sur l'air de la toune *Aux Champs-Élysées,* de Joe Dassin. J'ai cette toune de mononcle dans la tête À LA JOURNÉE LONGUE! C'est très aliénant.

Mais ce n'est pas le pire! Le pire, c'est que j'ai vu David Desrosiers… qui va au même camp que'moi. Et, comme tu t'en doutes bien, pas David Desrosiers de Simple Plan, ç'aurait été trop cool, mais David Desrosiers, l'homo-truc-muche que j'ai *flushé*.

Heureusement, je ne suis ni dans le groupe des filles de ma chambre ni dans celui de David Desrosiers, car ils sont plus expérimentés que moi.

Pour l'équitation en tant que telle, c'est vraiment cool! Je me promène chaque jour, dans le bois, sur un cheval. Au début, j'étais un peu craintive, j'y allais très doucement, au trot. Mais plus ça va, plus je m'améliore.

En arrivant ici, j'avais le choix entre la selle western ou la selle anglaise. J'avais choisi la selle anglaise, mais j'essaie de changer pour la selle western… Dans le groupe de selle anglaise, les gens sont un peu trop « compétitifs »…

Mais bon, c'est cool, parce que j'apprends à monter les chevaux, à les brosser et tout.

En tout cas, je m'ennuie de toi… et de mes parents. Je m'ennuie presque de ma sœur, imagine!

Et toi ?

J'ai hâte d'avoir de tes nouvelles !

Ta best 4ever,

Kat

xxx0xxx (amical)

14 h 54

À : Katryne Demers
De : Aurélie Laflamme
Objet : Re : Des nouvelles de moi

Salut, Kat !

Ouain... Désolée que tout ne se passe pas comme dans tes rêves !

Pour ma part, je vis à peu près la même chose que toi. Excepté qu'il n'y a pas de cheval. Ni de bitch. Ni de David Desrosiers. Ni de sac de couchage de princesses. C'est juste que moi aussi je m'ennuie de toi et de ma mère (mais pas vraiment de Julyanne, je t'avoue, même si je n'ai rien contre elle).

Je passe mes journées avec ma grand-mère. Elle joue aux cartes, à des jeux de patience. Elle essaie de m'apprendre, mais je préfère jouer au Nintendo et chatter. Elle tient absolument à ce que je ne dise pas son âge aux gens qu'on croise (comme si c'était quelque chose que je dirais spontanément, genre : « Bonjour, je m'appelle Aurélie. En passant, ma grand-mère a soixante-douze ans. »)

Et puis, on dirait que j'engraisse juste à regarder du chocolat. (Il faut dire que je n'ai rien à faire, alors je ne fais pas que *regarder* le chocolat, haha !)

Je te transfère un Youtube hyper drôle que Tommy m'a envoyé, ça va te remonter le moral !

Ta best 4ever and ever,

Aurélie

xxx (amical)

Samedi 8 juillet

Chez ma grand-mère, ma chambre est au deuxième étage et, le matin, le soleil est tellement fort qu'il passe à travers les rideaux et me réveille. Même si nous ne sommes ici que depuis quelques jours, Sybil et moi avons nos petites habitudes. Elle dort dans mon lit avec moi, et elle attend que je me lève pour se lever à son tour. Parfois, quand elle trouve que je dors trop, elle me réveille en me donnant des petits bisous dans le visage. (*Cuuuuuuute* !)

Et nous descendons ensemble dans la cuisine.

L'escalier pour se rendre au deuxième donne sur le salon, qui est situé à l'avant de la maison, là où il y a l'entrée et deux fenêtres. Le salon et la salle à manger sont à aire ouverte.

Ces derniers jours, quand je descendais, ma grand-mère était assise à la table de la salle à manger et lisait son journal ou jouait aux cartes. Mais aujourd'hui, elle est à la fenêtre, au salon, et regarde dans des jumelles.

Moi : Qu'est-ce que tu fais ?

Elle délaisse ses jumelles et me regarde.

Ma grand-mère : T'es encore en pyjama, toi ? Il est 10 h 30 !

Moi : Ben… je suis en vacances…

Elle reprend ses jumelles.

Ma grand-mère regarde en direction de l'église située juste en face de chez elle, où des gens discutent sur le parvis.

Moi : T'espionnes les gens ?

Ma grand-mère : Le samedi, c'est la journée des mariages. Je regarde qui se marie et… leur linge. J'ai ben du *fun* !

Je m'installe dans un fauteuil près de la fenêtre et je commence à regarder, moi aussi. Sans intérêt, au début, mais avec de plus en plus d'intérêt à mesure que je vois les gens arriver sur le parvis de l'église.

Ma grand-mère : Lui, là-bas, avec le complet bleu, tu le vois (elle me prête les jumelles deux secondes et les reprend), c'est Paul-Émile Bégin. Il porte toujours la même cravate ! Qu'il aille à l'église ou même pêcher. Regarde, il y a des petits fils qui pendouillent. (Elle me repasse les jumelles et je constate.) Chaque fois que je le croise, j'essaie de voir si sa cravate sent la morue, mais il doit se laver avec, parce qu'elle ne sent jamais mauvais ! Ha ! ha ! ha !

Je conserve les jumelles et je fais un tour d'horizon. De grosses robes à fleurs, des chapeaux extravagants, des messieurs qui brassent leur petit change…

Moi : Il me semble que le monde est habillé quétaine.

Ma grand-mère : Quétaine, tu dis ? Mon seul plaisir dans la vie, c'est de regarder les mariages, le samedi, et de rire du monde ! J'attends toujours le samedi avec impatience ! Allez, redonne-moi les jumelles.

Je les lui redonne et je continue de regarder les gens entrer dans l'église.

Ma grand-mère : Oh, Aurélie ! Tu vois le grand gars là-bas ?

Moi : Où ça ? Le gars habillé en beige ?

Ma grand-mère : Oui ! Bon, lui, c'est un ti-gars…

Moi : Ben là, ti-gars… Il doit avoir au moins trente ans, non ?

Ma grand-mère : Pas tant que ça. Il a vingt-six ans. Bon, lui, quand il était petit, il s'est fait passer sur la tête par un tracteur dans un champ de fraises. Et il a survécu après six mois de coma ! Et il est normal ! Il enseigne même les maths à la petite école !

Moi : Beurk ! Maths ! Ça paraît qu'il s'est fait passer sur la tête avec un tracteur !

Ma grand-mère : Ha ! ha ! ha ! ha ! Regarde là-bas ! La robe verte avec le chapeau blanc. C'est sa mère. Elle croit que son fils est un miraculé et c'est la meilleure catholique du coin. Elle fait toujours des dons à l'église. Mais c'est une vraie pie !

Moi : Qu'est-ce que tu veux dire ?

Ma grand-mère : Oh, elle bavasse et elle triche aux cartes !

Moi : Hein ?!?

Ma grand-mère : Elle pense que j'ai soixante-cinq ans, alors tu ne lui dis pas mon vrai âge, hein ? Tout le monde va le savoir, sinon.

Moi : Promis !

Ma grand-mère s'allume une cigarette, puis elle dit :

– Bon, tout le monde est entré. Il faut attendre une heure pour voir la mariée sortir.

11 h 31

Je me suis habillée en vitesse, j'ai déjeuné et je me suis rassise dans le fauteuil pour attendre la sortie des mariés. Ma grand-mère et moi, on a éclaté de rire quand on a vu la mariée avec sa robe à manches ultra-bouffantes en satin ! Sybil regardait, elle aussi, par la fenêtre, comme si elle s'intéressait à l'action.

Ma grand-mère : La semaine passée, la mariée avait une robe vraiment chic. C'était la plus belle mariée que j'avais jamais vue !

Moi : Pourquoi cette mariée a choisi des manches aussi bouffantes ?

Ma grand-mère : Ne me le demande pas ! Dire qu'il paraît qu'elle a fait un régime pour pouvoir rentrer dedans ! Ha ! ha ! ha ! ha ! Et ça ne paraît pas… Ha ! ha ! ha ! ha ! à cause de ses… Ha ! ha ! ha ! ha ! manches ! Ha ! ha ! ha ! Elle a l'air d'un gros bol de jello ! Ha ! ha ! ha !

15 h

À : Aurélie Laflamme
De : France Charbonneau
Objet : Paris

Salut ma Cocotte en sucre !

Comment ça se passe chez ta grand-mère ?

Je t'écris de mon hôtel. Nous avons eu un meeting très intéressant avec des clients potentiels, hier. Je crois que François les a charmés.

À Paris, pour le « petit-déjeuner », tu ne trouves pas d'œuf, de bacon, de saucisses, de toasts ou de fromage. Ce sont des pâtisseries ou le fameux pain baguette (sans beurre) que tu trempes dans ton café. J'ai même vécu un cliché que vivent tous les touristes ! Un serveur ne comprenait pas quand je lui demandais du beurre, ce qui m'a bien fait rire, mais qui l'a laissé complètement indifférent. Pour se faire comprendre, il faut dire du « beûrre », avec la bouche très pointue.

Aussi, tu trouverais amusant de voir à quel point il y a de la crotte de chien dans les rues ! Il y a même des pancartes montrant des chiens, avec un caca qui leur sort des fesses, entouré d'un signe d'interdiction. J'ai trouvé ça tellement comique que je l'ai pris en photo. Je joins la photo à ce courriel.

Je pense beaucoup à toi. J'aimerais que tu sois ici pour partager avec toi ce que je vois.

Nous avons quelques réunions cette semaine, mais pendant le week-end, nous en profitons pour visiter.

Dis bonjour à ta grand-mère.

Je t'aime,

Maman

xxx

15 h 35

À : France Charbonneau
De : Aurélie Laflamme
Objet : Re : Paris

Allô, maman !

Merci pour la photo d'interdiction de crotte de chien, c'est trèèèès drôle ! Mais je croyais que tu allais à Paris pour enrichir ta culture… je trouve ça bizarre que la première photo que tu m'envoies ait rapport avec de la crotte de chien… En tout cas.

Grand-maman et moi avons espionné un mariage aujourd'hui. Trop drôle !

Sybil semble aimer ça être ici. Elle s'est même découvert des talents de chasseuse ! Elle chasse les papillons ! Parfois, quand ils sont plus haut sur le mur, je la soulève par les pattes d'en arrière et elle les attrape avec ses pattes d'en avant. Elle a un regard de fierté absolue par la suite ! Je ne l'ai jamais vue comme ça !

Pour ma part, je chasse les fourmis… J'en ai tué toute une colonie et ça m'a fait me sentir mal…

Attention de ne pas marcher sur la crotte de chien, glisser, te casser une hanche et ne pas être capable de revenir au Québec !

Moi aussi, je t'aime,

Aurélie

xxx

P.-S. Ne me rapporte pas de bibelot en tour Eiffel, s'il te plaît, c'est quétaine.

Dimanche 9 juillet

Aujourd'hui, j'ai mangé des framboises en jujubes, des Gobstoppers et des Nerds. Un à la suite de l'autre. Accompagnés de deux roulés suisses, et d'une *slush* au citron (j'avais soif).

Ça m'a permis d'apprendre que ce mélange est à éviter absolument.

Ça m'a aussi permis d'apprendre quelque chose sur ma grand-mère. Ma grand-mère ne dit pas « le dépanneur », elle dit « le restaurant ». Et quand elle parle du restaurant, elle dit « Chez Micheline ». Mais elle ne dit pas « Chez Micheline » pour tous les restaurants, elle dit « Chez Micheline » quand elle parle du restaurant « Chez Micheline », sinon, elle dit le nom des autres restaurants, selon leurs noms respectifs.

Tout a commencé quand ma grand-mère m'a parlé d'aller faire l'épicerie et que je me suis retrouvée – Dieu seul sait comment – dans la rangée des assouplissants à prendre une sniffée de chaque assouplissant pour tenter de me remémorer l'odeur de Nicolas. Oui, je le sais, je désirais l'oublier. Et toutes les odeurs de la campagne (air frais, foin, fumier, purin, lilas, gazon, fleurs) semblent avoir un effet de rouleau compresseur sur ma mémoire olfactive. Et c'est ce que je voulais. Mais je ne sais pourquoi (masochisme ?), je me suis retrouvée dans la rangée des assouplissants à respirer chaque boîte, chaque contenant, pour tenter d'y retrouver Nicolas (ou plutôt, son odeur). Sans succès.

15 h 03

Toujours en train de prendre des sniffées d'assouplissants.

Ma grand-mère : Qu'est-ce que tu fais là ?

Moi : Euh… je nous cherche… de l'assouplissant.

Ma grand-mère : Eurk ! Je n'utilise pas ça ! J'ai lu quelque part qu'il y a des phéromones de porc dans l'assouplisseur !

Moi : Des phéromones… de porc ????!!!????

19 h 20

Alors je ne serais pas attirée par l'odeur de Nicolas, mais par celle des… cochons ?!!!???!!!!!

Aaaaaaaaaaak !

19 h 21

Trop de sucre. Beaucoup trop de sucre.

Note à moi-même : Penser à couper le sucre.

Note à moi-même n° 2 : Pas couper le sucre, dans le sens de couper un carré de sucre en deux, haha, non ! Couper le sucre de mon alimentation quotidienne.

Note à moi-même n° 3 : Ce qui revient à ce que je disais : couper le sucre (on se comprend maintenant, vu que j'ai fait quelques éclaircissements).

Note à moi-même nº 4: Impossible (en ce qui concerne le chocolat).

P.-S. Je considère très étrange ma fixation pour l'industrie porcine.

Lundi 10 juillet

Qui aurait cru que ma grand-mère serait la personne qui réussirait à dire quelque chose susceptible de me faire oublier Nicolas? Si on m'avait dit qu'il sentait le cochon avant de me dire « Un de perdu, machin… », je l'aurais oublié bien avant! Et, en ce moment, je peux totalement dire (même si je suis en train de parler de lui) que je l'ai définitivement oublié. Je n'ai aucun intérêt particulier pour les cochons ni pour leur odeur ni pour leurs dents. C'est tout.

Ma grand-mère a toujours été bonne pour me couper mes élans bizarres. Quand j'étais petite, j'avais la mauvaise manie de me décrotter le nez. Puis, ma grand-mère m'a sorti une histoire comme quoi les crottes de nez étaient remplies de bibittes et que, lorsque je les sortais de mon nez, c'était comme si je touchais à une bibitte gluante. Je n'ai plus jamais touché à une crotte de nez de ma vie! Et je suis devenue traumatisée par les bibittes!

14 h 01

Dans ma chambre, en train de chatter avec Tommy. Il m'a envoyé un Youtube de deux gars qui chantent la chanson-thème des Pokémon et ça m'a rappelé plein de souvenirs !

14 h 02

Ma grand-mère frappe à ma porte de chambre.

G.-M. : Tu viens marcher ?

Ça fait environ une semaine que je suis ici et elle n'arrête pas de m'achaler avec le fait qu'il y a de beaux canards sur le lac, près de chez elle (près de chez elle, c'est relatif, c'est à l'autre bout du monde selon moi !). Chaque après-midi, elle part avec des petits morceaux de pain et elle s'en va se promener près d'un lac où il y a des canards. Elle veut toujours que j'y aille avec elle et essaie chaque jour de me convaincre.

Sauf que, en ce moment, j'attends impatiemment la réponse de Tommy à savoir s'il a déjà collectionné des cartes Pokémon.

Moi (sans quitter l'ordi des yeux) : Hum… D'autres choses à faire.

Ma grand-mère est repartie, puis j'ai entendu « doung » et j'ai vu la réponse de Tommy qui disait que, bien qu'il ait un peu honte de l'avouer, il avait déjà collectionné des cartes Pokémon. Moi aussiiiiiiii !

Je n'aurais jamais pu aller marcher en restant sur une telle note de suspense.

20 h 50

À : Aurélie Laflamme
De : France Charbonneau
Objet : La vie en rose

Salut, ma Choupinoupette !

Je suis amoureuse de Paris ! J'y déménagerais tellement je m'y plais ! Bon, les serveurs sont un peu bêtes, mais on s'y fait. Le truc, c'est de leur adresser la parole un peu sur le même ton. Ce qui me fait sentir mal, c'est lorsque, dans le lot, il y en a un qui est gentil, alors je me sens mal d'avoir été à pic.

En fait, la seule chose qui me manque ici, c'est du Cheez Whiz. Après quelques jours de croissants et confitures et de viennoiseries, je rêve de Cheez Whiz. Ça m'obsède ! François me trouve assez drôle, car c'est le pays des excellents fromages ici, alors il trouve que je n'ai vraiment pas de classe avec mon Cheez Whiz !

Je sens dans tes dernières lettres que tu sembles t'amuser avec ta grand-mère et j'en suis bien contente. Elle me disait toujours à quel point tu lui manquais et, par manque de temps, je ne pouvais aller la voir aussi souvent qu'elle l'aurait souhaité. Alors, tant mieux si vous vous entendez bien, ça me rassure !

Aujourd'hui, pendant que François était en réunion, j'ai visité le musée du Louvre. J'y ai vu des toiles magnifiques ! J'ai ressenti des vibrations tellement il y a de chefs-d'œuvre et d'Histoire, ici. Je n'ai malheureusement pas pu prendre de photos, c'est interdit.

Il est vrai que je fais toutes les attractions touristiques, mais il nous arrive, à François et à moi, de simplement déambuler dans les rues, main dans la main, et d'admirer l'architecture.

Si jamais tu te le demandes, je n'ai pas encore visité la tour Eiffel... Je n'ai donc pas encore dit à François que je l'aime. Je crois que nous profitons de chaque instant passé ensemble et que nous ressentons tous les deux la même chose, sans pourtant oser se le dire. Comme si chaque moment était magique, mais que quelque chose nous retenait pourtant de faire ce pas en avant. En tout cas, je te tiendrai au courant...

J'aimerais tant que tu sois ici ! Je pense à toi à chaque instant ! Continue à m'envoyer de tes nouvelles. J'ai l'impression d'être tout près de toi tout en étant au bout du monde.

Maman

xxx

Mardi 11 juillet

Je ne sais pas ce que je deviendrais sans chocolat.

Je mangerais bien des biscuits, mais ma grand-mère les range dans une jarre à biscuits et ils deviennent tout mous et goûtent tous la même chose. Un peu dégueu.

Questionnement existentiel : Je viens d'écrire à Kat et à Tommy et tous deux me disent que leurs grands-mères rangent leurs biscuits dans une jarre à biscuits. Je me demande pourquoi. C'est vrai ! Les biscuits finissent tous par goûter la même chose. Alors pourquoi les grands-mères tiennent-elles tant à ranger leurs biscuits là-dedans, alors que les compagnies de biscuits dépensent des fortunes en recherche et développement pour mettre au point de beaux sacs qui conservent la fraîcheur ? Si les grands-mères aiment que leurs biscuits goûtent la même chose, elles n'ont qu'à acheter la même *sorte* de biscuits, tout simplement. Tsss !

Mercredi 12 juillet

À : Katryne Demers
De : Aurélie Laflamme
Objet : Re : Selle western

Allô, Kat !

Je suis contente de savoir que tu as pu te faire transférer dans le groupe de selle western, comme tu le voulais. Merci pour la photo, car quand tu me parlais de selle western, je t'imaginais habillée en cow-girl... Alors, je suis contente de voir que tu as conservé ton look normal (Hihi !). Le cheval est super beau ! ;-)

Au

xxx (amical)

14 h 10

À : Aurélie Laflamme
De : Katryne Demers
Objet : Re : Re : Re : Re : Selle western

Salut, Au !

J'ai besoin de ton avis !!!!!! Je dois faire un choix important et je suis mêlée ! Ils sont complètement différents l'un de l'autre, mais les deux sont cool, avec chacun leurs qualités.

Je sais que je te lance ça comme ça et que tu n'es pas une experte là-dedans, mais si tu sens quelque chose, dis-le-moi.

En tout cas… Réponds-moi vite !!!!!

Kat

xxx (amies)

14 h 16

À : Katryne Demers
De : Aurélie Laflamme
Objet : Re : Re : Re : Re : Re : Selle western

Hum... Hum... Hum... C'est sûr que je n'ai pas beaucoup d'info pour t'aider... Alors, je dirais comme ça, sans info et à brûle-pourpoint (si on enlève tous les hum... hum... hum...), de choisir le gars que tu aimes le plus !

Truch t'a déjà laissée une fois et ça t'a fait de la peine, et peut-être aussi blessée dans ton orgueil, alors je ne sais pas si c'est une bonne idée de reprendre avec lui. Tandis que David Desrosiers, bien, il me semblait un peu jeune (de caractère), mais vous partagez la même passion... Et il est l'homonyme de ton idole, alors... il a plusieurs qualités.

Raconte-moi tout !

Aurélie

xxx (amical)

Jeudi 13 juillet

À : Aurélie Laflamme
De : Katryne Demers
Objet : Re : Re : Re : Re : Re : Re : Selle western

POUHAHAHAHAHA ! ça n'avait pas rapport avec des gars ! Tu n'as pas remarqué que je t'envoyais deux photos de cheval ? Je devais choisir entre l'un et l'autre pour une compétition. Je t'expliquais même, un peu plus bas, les qualités de chacun…

Mais bon, j'ai finalement choisi Roscoe et nous avons gagné !!!! Mais une fille du groupe m'a dit qu'elle m'avait laissée gagner parce que je faisais pitié… Alors, je ne sais pas trop quoi penser. Pourtant, je ne suis pas si poche. Je m'améliore et tout…

Au camp, il y en a qui ont leur propre cheval et certains d'entre eux se pensent bons à cause de ça. C'est comme s'ils étaient plus *hot* que ceux qui n'ont pas de cheval. J'ai appelé ma mère pour le lui dire, mais elle refuse de m'acheter un cheval, elle dit que le camp coûte déjà assez cher et que je devrais apprécier ce que j'ai.

C'est la première fois de ma vie que je m'ennuie autant de ma famille… Mais je ne le dis jamais à ma mère quand elle m'appelle parce que je sais que ça lui a coûté cher et je ne voudrais pas la décevoir.

David Desrosiers (toujours l'homo-truc-muche, comme tu dis) est vraiment bon en équitation et il m'apprend des trucs. Je t'avoue que je regrette de l'avoir laissé cavalièrement. Ce n'était pas très gentil de ma part… En tout cas… Je l'ai peut-être jugé trop vite. MAIS JE NE TRIPE PAS SUR LUI ! QU'EST-CE QUE TU ES ALLÉE T'IMAGINER ? Et Truch ? Hum… Je ne sais pas quoi dire… C'était juste cool le revoir au party ! Non, ici, je me rends compte que je m'entends mieux avec les chevaux qu'avec les gars ! :-)))))

Kat

xxx (Est-ce qu'on arrête de dire «amical» quand on se fait des x ? Je suis tannée d'écrire ça, c'est long.)

P.-S. Tant qu'à faire des changements, ce serait cool qu'on change le titre du courriel, tu ne trouves pas ?

Vendredi 14 juillet

J'allais écrire à Kat quand ma grand-mère est entrée dans ma chambre (après avoir frappé, elle est toujours cool pour ça).

G.-M. : Aurélie, il fait super beau dehors ! Viens avec moi voir les beaux canards !

Elle pis ses canards : rapport ?!?

Moi : C'est parce que mes amis attendent mes réponses…

G.-M. : Ils attendront ! Tu les vois toute l'année, tes amis ! Là, il fait beau ! Viens marcher ! Tu ne vas pas rester tout l'été enfermée dans ta chambre, à l'ordinateur !

Moi : J'écris des courriels… c'est important !

G.-M. : Viens avec moi ! Il fait beau soleil dehors et tu es toute blême ! En plus, j'ai une belle surprise à te montrer ! Allez, viens ! Sinon, je te coupe les crêpes pour le reste de l'été.

Moi (totale résignée) : OK, d'abord…

À mon avis, l'affaire des crêpes, c'était total *cheap shot*.

14 h 31

Ça fait exactement une demi-heure qu'on marche et on n'est même pas encore rendues au lac ! Ma grand-mère prend de grandes respirations et elle n'arrête pas de dire que ça fait du bien l'air pur (mais elle dit ça en fumant : illogique...). En ce qui me concerne, je trouve que l'air pur sent un peu la vache... pour ne pas dire le cochon. Mais depuis que je sais que j'aime l'odeur des cochons, je me dis que l'odeur qui me dérange doit plutôt être celle des vaches...

G.-M. : Ah ! que c'est beau la vie, hein ? On est chanceux d'être là ! Regarde ce beau paysage. Hein que c'est beau ?

Moi : Ouain... Pas pire.

Je n'arrive pas à croire qu'elle trouve ça « le *fun* » de marcher. On n'a pas la même notion de « *fun* ».

Moi : C'est quoi ma surprise ?

G.-M. : Tu vas voir !

Une éternité plus tard (plus précisément, à 14 h 40)

On arrive près du lac.

Ma grand-mère commence à lancer des miettes de pain dans le lac pendant que, les mains dans mes poches de bermuda, je regarde par terre et donne un coup de pied dans un caillou.

G.-M. : Regarde, Aurélie ! C'est ça que je voulais te montrer ! Ils sont mignons, hein ?

Je regarde du coin de l'œil et je vois un canard s'avancer.

Moi : Ouain... mérite un détour.

Et je continue de regarder par terre.

G.-M. (en lançant toujours des miettes de pain) : Regarde mieux ! Pitipitipiti !

Je regarde autour, un peu honteuse, pour voir si des gens me voient avec elle pendant qu'elle appelle les canards non pas avec des bruits de canard, mais avec des « pitipiti » (quoique j'aurais tout aussi honte si elle se mettait à faire « coin-coin »). Puis, je regarde rapidement sur le lac et je vois que le canard que j'avais vu quelques secondes plus tôt est suivi de... six bébés canards hyyyyyypeeeeeeeer *cuuuuuuuuuuuuuuuutes* !!!!!!!!! Ils sont vraiment tout petits !!!!!

Moi : Ohhhhhhhhhhhhh ! ils sont super beaux !!!!!!!!!!!!!!!!!!!!!!!!!!

G.-M. : Je savais que tu serais contente !

Samedi 15 juillet

À : Katryne Demers
De : Aurélie Laflamme
Objet : Nouveau titre ! ;-)

Allô, Kat !

Excuse-moi de m'être trompée à ce point-là ! Et bravo pour la compétition ! La *bitch* qui t'a dit qu'elle t'avait laissée gagner est juste jalouse !

Je te laisse ! Ma grand-mère m'attend ! On espionne les mariages. (On rit du monde et de leur linge !) Après, on s'en va nourrir des bébés canards !

À+

Aurélie

xxx (T'as vu, j'ai pas écrit « amical » après mes « x ». Ben… je l'écris là, mais c'est seulement pour dire que je ne l'écris plus.)

Dimanche 16 juillet

Demain, c'est ma fête. J'ai comme… le motton. Je ne sais pas pourquoi. C'est peut-être parce que je pense à Nicolas. (Toute blague concernant les cochons est exclue.)

Je crois que ma grand-mère le sent (pas que j'ai par le passé eu une passion pour l'odeur des cochons, mais que je suis tristounette), car elle n'arrête pas de me raconter des blagues. Quelque chose qu'elle fait, je crois, pour me remonter le moral. Le problème, c'est que sa façon de les raconter est inteeeeerminaaaaable.

Voici la blague qu'elle m'a racontée aujourd'hui, avec les détails inutiles :

– Ça se passe dans un aéroport. Tu sais, dans un aéroport, il y a plein de monde, c'est la cohue ! Je me demande si ta mère a trouvé ça difficile de se retrouver là-dedans, parce qu'il y a eu ben des réparations et tout a changé de place depuis mon temps… en tout cas. Il y a ben du monde qui attend pour prendre un avion et on voit arriver deux pilotes. Les pilotes, sont toujours bien habillés, hein ? As-tu vu le film *Catch me if you can* ? Avec le beau Leonardo DiCaprio ? Tu dois le trouver *cute*, lui aussi, hein ! Tu n'as pas de photo de lui en bedaine dans ta chambre, par exemple, hahaha, mais il est pas laid pantoute. (Moi, dans ma tête : soupir.) En tout cas, deux beaux pilotes bien habillés comme DiCaprio. Toujours est-il que les deux pilotes se présentent, bien habillés, avec un chien-guide et une canne. Ils sont aveugles, tu sais. Les gens commencent à paniquer. Déjà que, dans un avion, on ne se sent pas trop en contrôle et que c'est stressant. Les pauvres passagers se demandent ce qu'ils vont faire. Est-ce qu'ils vont se rendre à destination, etc. ? Peut-être qu'ils s'en vont, mettons, dans le Sud. Ils ne veulent pas rater leurs vacances. Ça coûte assez cher d'aller dans le Sud ! Je regardais ça l'autre jour, dans le journal… mon Dieu ! Il y a des compagnies qui se font de l'argent sur le dos du pauvre monde ! Toujours est-il que l'avion part. Il commence à rouler. Il roule, roule, roule. Là, les gens se disent que c'était sûrement une blague, que les pilotes ne peuvent pas être aveugles. Pis là, finalement, l'avion s'avance de plus en plus… vers un lac !!! Comme notre lac, ici, avec les beaux canards (elle me fait un clin d'œil). Alors, le monde commence à crier, comprends-tu ? Là, l'avion se met à voler, juste à temps pour ne pas tomber dans le lac. Pis là, un des pilotes, qui a sûrement enlevé sa belle casquette juste avant de monter dans l'avion, dit à l'autre: « Une bonne fois, ils ne crieront pas et on va tomber dans le lac! » Et là, ils ont mis le pilote automatique pour le reste du voyage. Est bonne, hein?

Heureusement pour moi, elle termine toujours en disant « Est bonne, hein? », ce qui me donne le signal pour rire.

Note à moi-même: Je crois que je viens de découvrir qui est responsable du gène à l'origine de mes mauvais résultats scolaires en exposés oraux...

Lundi 17 juillet

À: Aurélie Laflamme
De: Katryne Demers
Objet: Bonne fête !!!!!

Salut, Au!

BONNE FÊTE !!!!!!!!!!!!!!!!

Je te souhaite... tout ce que tu souhaites! (Hihi! je sais que je me répète, mais tu le sais que je ne suis pas aussi bonne en français que toi.)

Maintenant, on a le même âge!

Tu es ma best 4ever!

Kat

xxx

P.-S. Hier, j'ai dessiné des moustaches aux princesses sur mon sac de couchage, et soudainement, Émily m'a trouvée super cool. Je l'ai trouvée épaisse, mais au moins je suis plus populaire!

10 h 45

À: Aurélie Laflamme
De: Tommy Durocher
Objet: Bonne fête, Laf!

http ://www.youtube.com/watch ?v=UeypOvsY91Q&mode=related&search=

Tommy

xx

10 h 47

À: Aurélie Laflamme
De: France Charbonneau
Objet: Bonne fête!

Salut ma belle grande fille!

Bonne fête!

Je te souhaite, pour ton quinzième anniversaire, de beaux accomplissements. Je sais que tu as eu une grosse année, remplie de moments difficiles, mais un anniversaire, c'est un nouveau cycle qui commence! Et j'ai confiance que cette année sera belle pour toi!

Je te souhaite de continuer à être forte comme tu l'es.

Je t'aime,

Maman

xxx

P.-S. Je t'appelle plus tard dans la journée.

Hum... Je ne sais pas si le courriel de ma mère me fait plaisir ou m'insulte carrément.

Midi

Ma grand-mère m'a fait des crêpes!!!!!!!! WOUHOU!!!!!!!!!!!! LES MEILLEURES DE L'UNIVERS!!!!!!!!!!!!!!

15 h

Je suis installée sur une chaise longue, dans la cour de ma grand-mère, pendant qu'elle est sur la terrasse et qu'elle examine son barbecue. Alors que je lis un *Archie* et que je suis très prise par l'histoire, elle réalise que sa brosse pour nettoyer le barbecue n'a plus de poils.

Ma grand-mère: Aurélie!!!!! pourrais-tu aller à la quincaillerie pour m'acheter une brosse neuve? Celle-là n'est plus bonne à rien et j'aimerais ça te faire de bonnes brochettes pour ta fête.

Je ne sais pas pourquoi elle précise « neuve », car quand on l'achète, c'est clair qu'elle est « neuve ».

Et puis, je ne sais pas pourquoi, mais je me retrouve une fois de plus l'esclave de quelqu'un. Chez moi, c'est de ma mère. Ici, c'est de ma grand-mère.

15 h 01

Avant que je parte, le téléphone sonne.

Sauvée par la cloche.

Je réponds « Oui, allô ? » d'un ton las en espérant que la personne à l'autre bout du fil (que je souhaite être ma mère) suspecte mon misérable sort d'habiter maintenant avec une septuagénaire fumeuse un peu sourde, amatrice de jeux de cartes et de canards, qui refuse d'admettre son âge en public (évident, selon moi), spécialisée en humiliation publique et qui me prend pour une esclave le jour de ma fête pendant que ma mère se prélasse sur des plages françaises. J'ai envie de hurler : « Je suis prisonnière !!!!! » Mais bon. Je m'abstiens. C'est pour ma grand-mère. C'est Monique qui l'invite à jouer aux cartes ce soir. Invitation que ma grand-mère décline sous prétexte que c'est la fête de sa petite-fille (moi). Et qui me fait me sentir coupable de ma réflexion précédente...

15 h 15

Je me rends à la quincaillerie en grommelant et en donnant des coups de pied à chaque caillou qui croise ma route (mon activité préférée ces temps-ci).

C'est ma fête et je suis obligée de faire des commissions, alors que je déteste ça !

C'est ma fête et on mange des brochettes, et la seule chose que j'aime des brochettes, c'est le gâteau au chocolat qui vient après.

15 h 17

Arrivée à la quincaillerie.

Je cherche une brosse pour nettoyer le barbecue, mais je ne trouve rien.

Pendant que je regarde un rideau de douche de *La petite sirène*, quelqu'un me tape sur l'épaule.

Je me retourne et je vois Nicolas !

Puis, je me rends compte une seconde plus tard que ce n'est pas Nicolas, mais un gars inconnu d'environ mon âge, qui dit :

– Hé, yo !

Et je lui réponds avec ces mots :

– Abala, abala, abala…

Dommage, j'aurais vraiment particulièrement aimé ça répondre quelque chose de plus intelligent. Genre avec de vrais mots qui existent dans le dictionnaire français. Ou même anglais. Ou même espagnol, tant qu'à y être. Mais j'étais un peu déboussolée, après avoir eu une hallucination de Nicolas.

Bizarre. Il dit : « Hé, yo ! », mais n'a absolument rien d'un « yo ».

Il a les cheveux blonds et ondulés, mi-longs, et les yeux bruns. Il porte des jeans amples, mais pas aussi amples que les yo, un t-shirt blanc et un tablier bleu marine de la quincaillerie. Je ne sais pas si je devrais lui dire « Yo ! », moi aussi. J'ai déjà essayé cette expression dans le miroir et quand je fais « Yo », bizarrement, ma bouche n'est pas capable d'arrêter à « o ». Elle bouge pour aller se replacer à sa position initiale, mais pour aller se replacer, il faut qu'elle prenne la position du « a ». Alors ça fait yo… aaa. Je ne peux pas dire : « Hé, yoa ! » Personne ne dit ça, ça n'a pas rapport. À bien y penser, je ne devrais plus du tout dire aucun mot qui finit par « o », vu que ma bouche n'est pas capable d'émettre le son et de s'arrêter là. Il faudrait que je ne dise que des mots se terminant en « a ».

Pense vite. Dis quelque chose. Vite !

Je pourrais peut-être faire comme les gens à Hawaii qui disent : « Aloha ! » J'aurais l'air de vouloir partir une nouvelle expression. En plus, ça fait estival. Et j'aurais moins l'air d'avoir dit des mots tout droit sortis d'un dictionnaire inexistant.

Vite ! Dis quelque chose !

Moi : Alohaaaa… ?

Niaiseuse.

Il sourit, j'oserais dire, de façon perplexe, comme si j'arrivais d'une autre planète et que je lui parlais dans une langue incompréhensible pour l'humain.

Moi (qui continue) : C'était une blague.

Je bouge mes bras en danse hawaïenne pour appuyer mon « Aloha » que je répète pendant le mouvement.

Il me regarde, toujours perplexe.

Bref, je me cale.

Moi (j'arrête de bouger) : En tout cas, laisse faire. Euh… j'aimerais ça rencontrer un spécialiste, je dois m'informer sur…

Lui : Je travaille ici, je peux t'aider.

Moi : Oui, mais j'aimerais peut-être parler à quelqu'un d'*expérience*.

Lui : La quincaillerie est à mon père, je connais pas mal le stock.

Moi : J'aurais besoin d'une brosse pour nettoyer le barbecue. C'est pour ma grand-mère.

Lui : Veux-tu aussi le rideau de douche de *La petite sirène* ?

Moi : Euh… non. Ha ! ha ! Je le regardais… seulement par curiosité.

Lui : C'est clair ! Les brosses pour le barbecue, c'est ici.

Il place ses cheveux derrière son oreille droite et marche vers le coin barbecue d'un pas sautillant (on dirait, mais je suis certaine qu'il ne sautille pas *pour vrai*, ça doit être encore ma vision qui fait défaut. Note à moi-même : Consulter ophtalmo).

Il me tend la brosse et je la regarde, hésitante.

Moi : C'est avec ça qu'on tue les bactéries ?

Lui : En fait, tu laisses chauffer le barbecue quelques minutes, et là, tu nettoies avec la brosse. Tu vas voir, super facile quand c'est bien chauffé, et les bactéries meurent, avec la chaleur.

Moi : Wooooow ! Tu t'y connais beaucoup en barbecuuuue.

Gnaaaaa, gnagnagnagnagnagnagnagnaaaa. Twit !

Lui : La caisse, c'est là-bas.

Moi : Pourquoi tu me dis ça ?

Lui : Ta brosse, ce n'est pas gratuit.

Moi : Ah… hahaha… oui (je secoue la brosse en la lui montrant), c'est vrai.

Je me dirige vers la caisse et il dit :

– Est-ce que t'es nouvelle dans le coin ?

Je me demande s'il me pose la question parce qu'il me trouve nulle de ne pas avoir compris pourquoi il me disait où se trouvait la caisse ou simplement parce qu'il ne m'a jamais vue ici avant.

Moi : Euh… ben… non. Ben… oui. Ben… en fait…

Lui : T'es pas obligée de me répondre si c'est top-secret.

Moi : Ha ! ha ! ha ! ha ! c'est pas top-secret. (Oh mon Dieu ! c'est clair qu'il me trouve tarte !) C'est juste que… je passe l'été chez ma grand-mère. Laflamme. C'est son nom. De famille. Son prénom, c'est Simone. Simone Laflamme. C'est ma grand-mère. Tu la connais ?

Cher 11 h 11 (de n'importe où dans le monde), faites de moi une marmotte pour que je puisse rentrer sous terre. Le plus tôt sera le mieux. Merci.

Lui : Oui, je tonds son gazon, des fois.

Moi : Ah.

Lui : Je suis content qu'elle se soit décidée à acheter une brosse à barbecue, ça faisait longtemps que je lui disais que la sienne était *scrap*.

Moi : Je m'appelle…

Lui : Aurélie.

Moi : Tu le sais ?

Lui : Oui, comme dans « Aurélie, viens souper !!! ». Moi, c'est Gabriel.

Avoir le don de disparaître pourrait s'avérer très pratique dans certaines circonstances.

Moi : Euh… Ah.

Lui : On a vraiment ri. Ça devait être gênant.

Moi : Tellement !

Lui : Les grands-parents !

Moi : Ouain…

Lui : Ben… Aurélie, après le souper, on s'en va se baigner chez Moreau, toute la gang. Est-ce que ça te tente de venir ?

Il me dit ça comme si j'étais supposée connaître « Moreau ».

Moi : Euh… Ben… J'ai déjà quelque chose de prévu. Avec ma grand-mère. C'est ma fête. De toute façon, je n'aime pas trop ça me baigner, ça me prend une motivation sans fin pour me mouiller…

Lui : OK. On se reprendra. Bonne fête !

17 h 15

Pendant que je nettoie le barbecue avec la nouvelle brosse.

« Ça me prend une motivation sans fin pour me mouiller… » MAIS JE SUIS DONC BEN TWIT !!!!!!!!!!!!!!!!!!!!!!!!!!!!!!

Jeudi 20 juillet

À : Katryne Demers
De : Aurélie Laflamme
Objet : Ma fête et autres…

Allô, Kat !

Désolée d'avoir pris du temps à te réécrire. J'ai été super occupée ! J'ai fêté ma fête seule avec ma grand-mère. Elle m'a fait un suuuuuuper bon gâteau au chocolat. C'était moins pire que je pensais (pas le gâteau, mais le fait d'être sans vous…). Et, ensuite, on a regardé les étoiles emmitouflées dans une couverture dans sa cour. J'ai fait quelques vœux (même si je n'ai pas vraiment vu d'étoiles filantes…). Ma grand-mère semble contente que je sois là. On tripe. Pour répondre à ta question, moi non plus je n'avais jamais pensé devenir une fan des bébés canards. Mais c'était avant d'en voir en vrai ! Très différents de sur le Net ! Ils sont super *cutes* ! D'ailleurs, je ne veux plus jamais manger de canards de ma vie, même si c'est en jujubes ! (Bon, je sais que les jujubes ne sont pas faits avec de vrais canards, mais ça me fait désormais de la peine de croquer dans un canard, vrai ou faux, depuis que j'en ai vu en personne.) Ils sont super *cutes* ! Ils ont de petits becs et ils secouent leur queue !

Je me suis fait un ami, Gab. Il est super gentil. Hier, il m'a invitée chez lui et il m'a montré ses grenouilles. Il a un aquarium avec trois petites grenouilles : Shrek, Zelda et Frodon. Elles sont super *cutes* ! Il m'invite souvent à faire des activités. Il voudrait que j'aille me baigner chez un de ses amis, mais je suis gênée de me mettre en maillot devant des gens que je ne connais pas, alors je m'invente des raisons…

En passant, pourquoi ton camp s'appelle Le camp La vigie ? Me semble que ça n'a pas rapport avec les chevaux, c'est une affaire de bateau.

À+

Aurélie

xoxo

15 h 20

À : Aurélie Laflamme
De : Katryne Demers
Objet : Je suis un fantôme !

Salut, Au !

Je reviens d'une ballade de groupe en forêt. Je suis rendue pas mal bonne. Plus j'en fais, plus j'ai un faible pour la vitesse. Quand le cheval galope, je me sens voler !

Comme j'avais un moment libre avant l'activité d'entretien, je suis venue au chalet pour t'écrire. Tu ne sais pas ce qui est arrivé ? Des gens se sont arrangés pour qu'un gars et moi, on fasse équipe pendant cette activité. Je crois que c'est parce qu'il tripe sur moi ! Je m'en suis rendu compte à cent miles à l'heure ! Je devais être en équipe avec Daphnée, mais elle a dit qu'elle se mettrait plutôt avec une autre fille et là, ce gars, Pierre-Luc, a dit qu'il se mettrait avec moi… Il est *cute* ! Whouuuuu !

Le temps passe tellement vite ! On dirait que mon arrivée ici était hier, mais que, depuis ce temps, il s'est passé un million d'affaires ! Je n'ai pas gagné mes dernières compétitions, mais je tripe carrément sur Roscoe (le cheval) et je crois que c'est réciproque parce que, chaque fois qu'il me voit, il fait toutes sortes de simagrées drôles.

Hé, je ne t'ai pas raconté ça : pour me désennuyer la nuit, je cogne sur le mur de ma chambre et tout le monde du camp croit que le chalet est hanté !!!!!!!! HAHAHAHAHAHAHA ! Même Émily-la-bitch !!!!!!!! Et j'entretiens la rumeur. J'avais commencé à faire ça, car je ne dormais pas la nuit, vu que je me disais qu'en cas de feu, je brûlerais vu que j'étais la dernière sortie de la chambre selon les règles d'Émily. Et là, la nuit, tout le monde a peur ! Hihi ! Je suis diabolique, hein ?

Toi et tes questions ! Je ne me suis jamais demandé pourquoi ça s'appelle Le camp La vigie ! Mais, en tout cas, je serais la première à être contente qu'il change de nom, si ça pouvait changer la toune qu'on est obligés de chanter tout le temps (et que des gens chantent même lorsqu'on n'est pas obligés).

Bon, je m'en vais nettoyer le cheval avec le beau Pierre-Luc !

Kat

xxx

P.-S. Ton nouvel ami… est-ce qu'il aime les glissades d'eau ? ;-)

Vendredi 21 juillet

Je crois que, lorsqu'on passe tout son temps en ville, on a comme un buzz à se retrouver en campagne. Ça doit être à cause de l'air pur. On en manque et, quand on en a trop, on se sent euphorique.

C'est ce que je me dis, alors que je rame (même pas dans un sens métaphorique) dans mon kayak jaune, sur le lac. C'est Gabriel qui m'a invitée ici. On est venus en quatre-roues. Au début, ma grand-mère était inquiète que je parte en quatre-roues avec un « p'tit gars » (comme elle dit). Mais quand elle a su que c'était le « p'tit Bouchard », elle m'a donné la permission, car il est « ben responsable, ce p'tit gars-là ».

En passant, Gabriel n'est pas « petit ». Il est même assez grand. Ben, comparé aux autres. Comparé à moi, je dirais qu'il est à peu près de ma taille.

Bref, ce matin, Gabriel m'a appelée pour aller faire du kayak. Je n'ai jamais fait de kayak de ma vie ! C'est ce que je lui ai répondu, d'ailleurs. Mais il m'a dit que ce n'était pas grave. Que tout le monde pouvait faire du kayak, parce que ça ne chavirait pas, etc. Et qu'il allait m'emmener dans un beau coin du lac. Et il avait vraiment raison ! Faire du kayak, c'est non seulement facile, mais vraiment top cool !

Bon, Gabriel s'est demandé pourquoi je tenais tant à conserver mon t-shirt et mon bermuda, alors qu'il fait super chaud et qu'on fait du kayak sur le lac, et j'ai répondu la première chose qui m'est venue à l'esprit : que j'étais allergique au soleil. Et, quand il m'a dit que je devrais alors couvrir mes jambes et mes bras, j'ai répliqué qu'en fait, je n'étais pas *encore* allergique au soleil, mais que si je m'exposais *trop*, je le *deviendrais*, à cause du trou dans la couche d'ozone et tout et tout.

14 h 10

On a arrêté de ramer dans un coin étroit du lac. De chaque côté, il y a des arbres et des buissons. C'est vraiment beau. On se fait bronzer, chacun étendu dans notre kayak, la tête appuyée sur le dossier.

J'adoooooooore la campagne !

14 h 12

AAAAAAHHHHHHHHH !!!!!!!!!!!!!!!!!!!!!! DANGER !!!!!!!!!!!!!!!!!!!!!!!!!!!

IL Y A UNE ARAIGNÉE ! UNE ARAIGNÉE ! JUSTE AU BOUT DE MES PIEDS ! ELLE S'EN VIENT VERS MOI ! AHHHHH !!!!!! JE VAIS MOURIR ! JE NE VEUX PAS MOURIR ! AU SECOURS !!!!!!!

Je me mets à ramer comme une folle, en haletant. Je tourne en rond. Je frappe un buisson, et TROIS AUTRES ARAIGNÉES ARRIVENT DANS MON KAYAK !!!! Je me lève et je sautille.

Moi : Au secours !!!!!!!! AU SECOURS !!!!!! (Je commence à pleurer en pointant les araignées.) TROIS ARAIGNÉES !!!!!!!!! JE VAIS MOURIR !!!!!!!!!!!!!!!!! JE DÉTESTE ÇA, ICI ! JE DÉTESTE ÊTRE ICI PENDANT QUE MA MÈRE EST EN FRANCE ! JE M'ENNUIE DE KAT ! PIS, LE CHUM DE MA MÈRE EST POCHE ! PIS, JE DÉTESTE MANGER DES BISCUITS DANS UNE JARRE À BISCUITS ! ILS DEVIENNENT MOUS ET DÉGUEUUUUUUS !!!!! PIS, JE N'AI JAMAIS TRIPÉ LÀ-DESSUS, MOI, LES CANARDS ! PIS LÀ, IL Y A PLEIN D'ARAIGNÉES, AAAAAAAAARK !!!!!

Pendant mon monologue, où ma voix résonne en écho, Gabriel rame pour s'approcher de moi et il balaie mon kayak de sa main pour essayer d'envoyer les araignées dans l'eau, sans rien dire.

Moi (qui continue, toujours en sautillant) : JE VEUX M'EN ALLER, AAAHHHHH…

Et, tout à coup, mon kayak chavire et PLOUF ! Je tombe à l'eau.

Gabriel saute à l'eau et m'aide à remonter sur mon kayak (après avoir vérifié qu'il n'y ait plus aucune araignée) et il remonte ensuite sur le sien.

Gabriel : Es-tu correcte ?

Moi (un peu gênée) : Hu-hum… Oui. Merci.

Gabriel : Je n'ai jamais vu personne chavirer en kayak… C'est une première !

Et il se met à rire, mais il s'arrête aussitôt quand il voit que je ne ris pas.

Gabriel : Mais… il ne faut pas sauter debout dans un kayak. Même s'il y a des araignées. Ç'aurait pu être dangereux, ton affaire. T'aurais pu mal tomber. Quand il y a une araignée, tu me dis tout bas : « Il y a une araignée, Gab », je m'en occupe et on continue de relaxer sur le lac. Ça marche ?

Pffffff ! Pour qui il se prend, lui ? monsieur Zen ?

Moi : Ça marche… (Si jamais je décide de revenir, ce qui me surprendrait.)

Puis, il s'appuie, les mains derrière la tête, sur le dossier de son kayak, et ferme les yeux face au soleil en me disant, avec un sourire en coin :

– Ça t'écœure pas à peu près, les araignées. C'est fou raide.

Samedi 22 juillet

Je ne peux jurer de rien quant à ma survie.

Tout a commencé ce matin quand j'ai fait un léger commentaire à ma grand-mère au sujet de sa consommation de cigarettes (que j'aimerais qu'elle diminue) pendant qu'elle regardait le mariage avec ses jumelles. On riait et elle tenait ses jumelles d'une main et sa cigarette de l'autre. J'ai peut-être émis un avertissement du genre : « Tu pourrais mourir d'un cancer. » Rien que la publicité ou que les paquets de cigarettes eux-mêmes ne font pas. Mais voilà qu'elle se fâche et qu'elle me lance que j'ai le même genre de dépendance qu'elle…

avec le chocolat ! Rap-port ?!? Ce n'est pas du tout la même chose. Le chocolat, c'est un plaisir de la vie, mais la cigarette, c'est un vice qui peut tuer.

Et là, elle me sort comme argument que le chocolat aussi peut être dangereux, car dans certaines compagnies, on a rapporté des cas de salmonelle dans le chocolat.

Au début, je croyais son argument total inventé. Je me disais que c'était un argument de dépit. Qu'elle lançait comme ça parce qu'elle n'avait plus aucune carte dans son jeu.

Mais (simplement par curiosité), j'ai fait des recherches sur le Net et j'ai vu que c'était vrai. Que certaines compagnies avaient dû rappeler quelques barres de chocolat infectées de salmonelle.

Vu la quantité que j'ai ingurgitée dans les derniers mois, je suis clairement en danger.

À venir : Ma mort imminente.

Bref, ç'a jeté un froid sur notre activité (pas ma mort imminente, mais notre petite chicane). Nous avons regardé la mariée sortir et nous n'avons émis aucun commentaire sur sa robe (même si elle était jaune banane avec des paillettes dorées).

Mardi 25 juillet

Ça fait quelques jours que ma grand-mère et moi nous évitons. À vrai dire, on a un peu les nerfs à vif. Dimanche, nous avons décidé d'arrêter la cigarette (pour elle) et le chocolat (pour moi). C'est un pacte que nous avons fait ensemble, alors que je mangeais une Aero et qu'elle fumait. C'est elle qui a fait la proposition. Et j'ai accepté. Mais voilà, depuis qu'on a fait ça, elle est un peu bête. La véritable raison pour laquelle j'ai accepté, c'est pour aider ma grand-mère. Je sais que le chocolat, c'est plus une passion qu'une dépendance. Mais si j'arrête, ça permet à ma grand-mère de cesser de fumer et, ça, c'est important.

14 h

Je constate que je suis une personne très mature. Je fais des sacrifices et tout. C'est grand. Très grand.

14 h 01

Je suis, pour tout dire, assez fière de moi.

14 h 02

À vrai dire, normalement, un tel sentiment de fierté me donnerait envie de manger du chocolat... Mais... ne pas pouvoir en manger est tout à fait acceptable. C'est pour une bonne cause, après tout.

14 h 04

Je pourrai dire que je permets à ma grand-mère une plus longue espérance de vie.

14 h 07

Ouf ! quelle responsabilité !

14 h 14

Je mange des craquelins en m'imaginant que c'est du chocolat (mais je dois avouer que c'est beaucoup moins satisfaisant). Quelques miettes tombent par terre et je vois une fourmi. Je me mets à quatre pattes et je dis :

– Fourmi, je m'excuse vraiment pour ce que j'ai fait. T'sais, je ne voulais pas… faire ça… à toute ta gang. Je… Tu comprends. Tout le monde était là… J'ai paniqué…

La fourmi a pris une miette de craquelin et s'est dirigée vers son trou.

Moi : Dis-le à tes amis, que je m'excuse… pour le génocide. Dis-leur. Et c'est ma grand-mère qui a mis le piège pour tuer ta reine. Pas moi. Mais honnêtement, il y a une forêt près d'ici, pourquoi vous n'allez pas là-bas ?

– Parce qu'on préfère les biscuits.

Je me retourne vivement et j'aperçois Gabriel qui rit. Honteusement (après tout, je suis à quatre pattes par terre en train de parler à des fourmis), je lance :

– Haha… Je niaisais… Je ne parle pas aux fourmis pour de vrai, hé hé.

Gabriel : T'avais l'air en grande conversation.

Moi (en me relevant) : Je faisais juste… semblant. Qu'est-ce que tu fais là ?

Gabriel : Ta grand-mère m'a laissé entrer. J'étais avec elle dans la cour. Je suis entré par derrière (il pointe le derrière de la maison). Elle a l'air un peu à pic. Elle jardine en piochant la terre assez fort…

Moi : Ouain… elle a arrêté de fumer.

Gabriel : Attention, la fourmi est sur ton bras.

Moi (en donnant vivement une tape sur mon bras) : AAAAAAAHHHHHHHHH !!!!!!!!

Je vois que la fourmi est un peu écrapoutie.

Moi : Oh non ! j'en ai tué une autre !

Gabriel : Non, regarde, elle vit encore.

On voit la fourmi se secouer et poursuivre sa route, sans sa miette de craquelin.

Moi : Fiou…

Gabriel : Qu'est-ce qu'il y a ?

Moi : J'ai tué plein de fourmis… Je me sens tellement mal ! Et ensuite, ma grand-mère a mis un piège pour tuer la reine…

Gabriel : T'sais, si tu vas dans une maison de géants, faut que tu t'attendes à ce qu'il y ait du danger ! Les fourmis font des affaires risquées…

Moi (en regardant la fourmi gagner son trou avec une pointe de soulagement) : Hihi ! t'es drôle.

Gni gni, gné gnooo. Quand je parle à Gabriel, j'ai toujours une voix niaiseuse.

Gabriel : Il fait super beau aujourd'hui et j'aimerais ça que tu viennes te baigner au lac avec la gang !

Moi : Euhm… c'est que… je dois rester ici pour… euhm… ma grand-mère. Je dois la surveiller.

Ma grand-mère arrive sur ces entrefaites et elle dit :

– Va te baigner ! On crève !

Je la regarde et tente une fois de plus la pyromanie oculaire. Sans succès, évidemment.

Gabriel : Vous venez, madame Laflamme ?

G.-M. : Ha ! ha ! ha ! T'es *cute*, mon p'tit pit. Ce n'est plus de mon âge, ces affaires-là.

Moi : Je ne peux pas laisser ma grand-mère, elle va fumer !

Gabriel : Allez, c'est quand même mieux que de parler avec des fourmis !

G.-M. : Va te baigner, ma belle fille ! J'ai de la misère à m'endurer ! Et, en passant, Gabriel, elle n'a pas le droit de manger du chocolat. (Elle lui fait un clin d'œil.)

Nouvelle tentative de pyromanie oculaire non concluante.

Note à moi-même : Cesser de trouver des trucs d'autodéfense imaginaires. C'est total en contradiction avec ma nouvelle maturité.

15 h 15

Au lac, avec la gang de Gabriel, assise sur une roche, toujours habillée en bermuda et t-shirt, pendant que tout le monde se baigne.

Gabriel (dans l'eau) : Viens, Aurélie !

Moi (m'essuyant une goutte de sueur sur le front) : Je n'ai pas encore assez… chaud.

Gabriel : Tu ne deviendras pas allergique au soleil.

Les amis de Gabriel me regardent et rient un peu, ce qui me fait me sentir très mal.

JE SUIS GÊNÉE, BON, D'ÊTRE EN MAILLOT DE BAIN DEVANT DES INCONNUS ! J'AI LE DROIT !

Heureusement, mes jambes sont rasées. Il est vrai que c'est toute une gestion et que c'est un éternel recommencement, et je déteste tout ce qui est une tâche d'éternel recommencement. Mais c'est pour une bonne cause. Celle d'être non poilue.

16 h 35

Je suis revenue chez ma grand-mère. Bizarrement, je ne me sens pas à ma place. Nulle part. Pourquoi il faut toujours que je sois une totale extraterrestre ? Je ne serais pas capable, une fois, d'être comme tout le monde ? Juste une seule journée. Être normale ?

16 h 37

Ce serait le moment idéal pour manger du chocolat. Je me demande si les fourmis en ont dans leur trou. Je me replace à quatre pattes pour regarder (ce qui, je l'admets, est pathétique).

16 h 40

– Je vais commencer à croire que t'es toujours installée comme ça.

Je me retourne, c'est Gabriel.

Moi : Coudonc, t'as la clé ou quoi ?

Ma grand-mère arrive derrière lui.

Gabriel : Ta grand-mère m'a dit que t'étais gênée d'être en maillot de bain.

Moi : Grand-m'man !

G.-M. : Tu passes pour une air bête ! Je voulais te défendre ! (En se retournant vers Gabriel) En plus, elle est un peu en manque de chocolat.

Moi : Toi, t'es en manque de cigarettes !

Et puis, là, ma grand-mère et moi nous lançons dans une série de pia-pia-pia-pia-pia sans importance jusqu'à ce que Gabriel éclate de rire. Je me retourne vers lui en disant :

– Qu'est-ce qu'il y a de si drôle ?

Gabriel : Je ne sais pas. Vous êtes *cutes*.

G.-M. : Tu soupes avec nous, Gabriel ? Je fais des hamburgers sur le barbecue.

18 h 30

Gabriel et moi sommes dans la cour de ma grand-mère. Comme il fait encore super chaud, il essaie de me convaincre de retourner me baigner avec lui au lac. Il dit qu'il comprend maintenant que je suis une fille timide et qu'il ne regardera pas ! Que je peux même me baigner en bermuda si je veux !

19 h 30

Ça fait une demi-heure que je me baigne. J'avoue que l'eau du lac est vraiment bonne ! Habituellement, l'été, c'est rare que je me baigne. Je me suis habituée comme ça. Mais là, je nage dans un lac… en maillot de bain !

19 h 32

Je suis en train de nager quand je vois que Gabriel me regarde.

Moi : Hé ! t'as promis que tu ne me regarderais pas.

Gabriel : Ce n'est pas toi que je regarde.

Il pointe derrière moi.

Gabriel (qui continue en parlant tout bas) : Regarde ! Là-bas, il y a une hirondelle qui s'est posée sur l'arbre.

Beuh ! il me connaît mal s'il pense qu'il va m'impressionner avec son ornithologie !

Gabriel (qui continue de parler tout bas) : Écoute, je crois qu'elle va chanter.

Moi : Bof... je te le dis tout de suite, je ne tripe pas trop « oiseaux ».

Gabriel : Non, mais c'est cool, les hirondelles, elles mangent les insectes en plein vol.

Moi (sans conviction) : Impressionnant.

Et là, il se tourne vers moi et me dit que je ne devrais pas être gênée d'être en maillot de bain et qu'il me trouve belle... ce qui m'a laissée un peu bouche bée, car au début (je crois que j'avais de l'eau dans les oreilles) je croyais qu'il parlait encore de son hirondelle, alors je lui ai dit : « Quoi ? » et c'est là que j'ai constaté que j'avais mal entendu, car il a vraiment articulé que c'était moi qu'il trouvait b-e-l-l-e. (Ça paraît qu'il n'a jamais vu mes mollets poilus.) Et il a ajouté :

– Aurélie...

Alors, dans le lac avec de l'eau jusqu'au cou, j'ai commencé à dire :

– T'sais, je m'en vais bientôt. Dans quelques jours. En tout cas, bientôt. Alors, ça ne sert à rien que...

Gabriel : ... que je t'invite au mariage de ma cousine, samedi ?

21 h

J'ai dit oui, sans trop réfléchir, tellement j'étais mal à l'aise. Ma réponse ressemblait à ça : « Hihi ouing. » (Carrément « Hihi ouing ».)

À l'agenda: Me trouver un prof de diction. Et une belle robe (peut-être plus pertinent dans le cas d'un mariage…).

Mercredi 26 juillet

À: Aurélie Laflamme
De: Tommy Durocher
Objet: Tu vas rire

http://www.youtube.com/watch?v=BHJ9eUkjWgY

13 h 11

À: Tommy Durocher
De: Aurélie Laflamme
Objet: Des nouvelles

Salut, Tommy!

Quoi de neuf?

Pour ma part, je me suis fait un ami, Gabriel. Il est cool. Je vais au mariage de sa cousine samedi. Mais je m'en vais dans quelques jours, alors…

Je sais que tu arriveras plus tard que Kat et moi, mais j'ai hâte de te voir pareil…

Écris-moi vite !

Aurélie

15 h 01

À : Aurélie Laflamme
De : Tommy Durocher
Objet : Re : Des nouvelles

Salut, Laf !

Cool d'avoir de tes nouvelles !

Tu me fais rire, toi ! Alors, comme ça, tu tripes sur un gars ? En tout cas, l'air de la campagne ne t'a pas trop changée, ni le fait d'avoir eu quinze ans !

De mon côté, c'est tranquille. Je passe du temps avec ma mère et son chum. Il est cool. On a mangé du tartare de cheval. Je sais que j'avais promis, mais… Ne le dis pas à Kat.

Je revois mon ancienne gang. On tripe. C'étaient de bons chums !

Je joue beaucoup de guitare. Je connais plein de nouvelles tounes. J'ai hâte de te faire entendre. Et toi, tu as écrit d'autres poèmes ?

À+

Tom

xx

15 h 05

Tommy m'énerve ! Il a beau être à l'autre bout du monde (bon, si j'étais vraiment douée en géographie, je ne dirais pas qu'il est à l'autre bout du monde, il est seulement dans une autre région du Québec, après tout…), il réussit à me taper sur les nerfs ! Pfff ! Il pense que je tripe sur Gabriel ! Pfff ! T-e-l-l-e-m-e-n-t pas ! Et puis, pfff ! Comme si j'allais écrire des poèmes en plein été ! Pfff ! Je. Suis. En. Vacances. Pfff !

15 h 06

Ma grand-mère (de la cuisine) : Aurélie ? Tu viens voir les canards ?

Moi : Ouiiiiiiiiii !

16 h

Les canards ont déjà un peu grandi. Et ils sautillent sur l'eau. Les regarder me procure soudainement un élan de bonheur si intense que je saute dans les bras de ma grand-mère qui reste un peu surprise par mon étreinte. Puis, elle me donne un bisou sur la tête, me dit : « C'est bien », et continue de lancer du pain.

Jeudi 27 juillet

À : Aurélie Laflamme
De : Katryne Demers
Objet : Tout a passé trop vite !

Allô, mon amie!

Je n'en reviens pas comme tout a passé trop vite. Dire que je m'en vais dans quelques jours…

En passant, à cause de toi, j'ai demandé à des moniteurs pourquoi on s'appelle Le camp La vigie alors que c'est un terme de bateau, et tout le monde me regarde comme si j'étais fatigante de poser la question. Alors, merci de me faire passer pour une *nerd!*

Je t'avais parlé de Pierre-Luc? Il n'était pas mon genre, finalement. En plus, il s'est vanté d'avoir «vu» le fantôme du chalet… C'EST MOI, LE FANTÔME DU CHALET! (Je ne le lui ai pas dit, évidemment!) Mais je t'avoue avoir eu quand même un petit doute sur l'éventualité d'une réelle présence fantomatique et j'ai de la difficulté à dormir depuis.

Parlant de dormir, je regrette d'avoir dessiné sur mon sac de couchage… En plus, d'autres personnes ont suivi mon exemple et m'ont écrit des petits mots dessus. David Desrosiers y a même signé un autographe comme s'il était LE vrai David Desrosiers. On a ri, mais ma mère va tellement m'engueuler!

En brossant Roscoe, hier, j'ai réalisé que, lui, il ne fait aucune distinction entre moi et d'autres personnes. En autant qu'on est gentil avec lui, qu'on lui donne sa moulée ou une carotte et qu'on le brosse doucement, il aime tout le monde. Les chevaux sont très gentils. Mais ceux qui les montent peuvent être tellement snobs! Honnêtement, s'il n'y avait eu que des chevaux, j'aurais passé un été extraordinaire!

J'aimerais repartir avec Roscoe... Mais c'est clair que mes parents ne voudront pas. Ils m'ont déjà dit non vingt fois. Je vais vraiment m'ennuyer de lui.

Mes moniteurs m'ont dit que j'avais un réel talent pour l'équitation et m'ont conseillé de poursuivre. C'est cool, hein ? Croise les doigts pour que je puisse convaincre mes parents au moins de ça !

Kat

xxx

P.-S. À mon retour, on brûle un CD de Joe Dassin !

Vendredi 28 juillet

Je suis impressionnée par ma totale zénitude face aux événements de la vie quotidienne.

Je viens de parler au téléphone avec ma mère. Elle m'a raconté que, même si, quand ils ont planifié leur voyage, ils avaient prolongé leurs billets pour rester quelques jours de plus en vacances, ils n'avaient finalement pas pris tant de vacances que ça (preuve que F.B. n'est pas si *honnête* qu'on pourrait le croire, hum...). Elle m'a expliqué qu'un de ses rendez-vous importants, qui devait avoir lieu aujourd'hui, avait été reporté. Elle m'a dit qu'elle n'était pas obligée d'être avec François pour ce rendez-vous et elle m'a demandé si je préférais qu'elle revienne. Je lui ai dit que ça ne me dérangeait pas qu'elle revienne en même temps que François. Je crois que ça lui a fait plaisir, même si elle a semblé avoir un petit choc que je lui donne ma réponse aussi rapidement (totalement grâce à ma maturité de plus en plus indéniable).

Ça m'a fait plaisir qu'elle me demande mon avis (même si je n'avais pas trop le choix de lui dire de rester là-bas... ce n'est pas mon but ultime de passer pour une ingrate...).

Ma mère a terminé la conversation en me disant qu'elle m'aimait, qu'elle s'ennuyait beaucoup de moi et qu'elle allait à la plage ce week-end (c'est elle qui a dit « week-end », totale influencée par les expressions françaises de France). Je lui ai fait promettre de nouveau de ne pas faire de monokini.

C'est correct. Ça ne me tente plus trop de partir d'ici, de toute façon. Je n'ai jamais mangé de meilleure bouffe de ma vie ! Et je serais inquiète que ma grand-mère recommence à fumer si je n'étais plus là. Et qu'elle brise tout dans la maison parce qu'elle n'est pas toujours, disons, sereine, depuis qu'elle a arrêté de fumer. En plus, je sens que l'air de la campagne est vraiment bénéfique pour moi. Surtout pour mes neurones. Je vais être une fille nouvelle à l'école. Monsieur Beaulieu n'en reviendra pas ! Il va même s'ennuyer que je ne sois pas aussi souvent à son bureau.

Note à moi-même : Penser à l'école avant la fin du mois de juillet n'est pas bon pour mon équilibre mental personnel. M'en souvenir.

Samedi 29 juillet

Pam Pam Pam Pam Pam Pam Pam Pam Paaa laaa paaaa laaaa paaa laaa paaaa laaaaa...

Je regarde mon reflet dans le miroir de la salle de bain en fredonnant *La marche nuptiale*. Sybil lèche mes mollets (elle fait toujours ça quand je viens de me raser).

Hier, ma grand-mère et moi avons magasiné dans le quartier pour m'acheter une robe pour le mariage.

Ma grand-mère entre et enlève des mousses (invisibles, selon moi) sur ma robe.

G.-M. : Qu'est-ce que tu chantes ?

Moi : Meh ! *La marche nuptiale*, c't'affaire !

G.-M. : *La marche nuptiale*, c'est talamtatam, talatataaaaaaaaaam, tatatatatatatatalamtataaaaam. Toi, tu chantes les *Canons* de Pachelbel.

Moi : Ben pourquoi tu me demandes ce que je chante si tu le sais ? En tout cas, ça dépend des mariages. Dans les films, souvent, c'est les *Canons* de Chose Bine, là.

G.-M. : Pachelbel.

Moi : Comme tu dis. Bon, est-ce que je suis cool ou si tu vas rire de moi dans la fenêtre ?

G.-M.: Je vais être fière de toi!

Moi: Naaaaa! Arrête! T'es mieux de pas rire! Je me sens twit habillée comme ça.

En observant mon reflet dans le miroir, je constate que je ne suis pas mieux que tous les invités de mariage dont j'ai ri depuis quelques semaines. Ma grand-mère et moi n'avons pas pu trouver autre chose qu'une robe en organsin turquoise. (Bon, c'est ma grand-mère qui m'a dit que c'était en organsin, je ne savais même pas que ce mot existait. Au début, je croyais qu'elle me faisait une blague. C'est une sorte de soie. Ah.) J'ai préféré celle-là à une autre plus belle, parce que l'autre était vraiment hors de prix. Et même si ma grand-mère m'a dit que ça lui faisait plaisir de me la payer, je trouvais ça trop cher pour une robe que je n'allais porter qu'une fois.

Ce qui m'intimide un peu avec mon choix, c'est que la robe est sans bretelles et, puisque mes seins sont vraiment petits, j'ai toujours l'impression que le bustier va tomber.

G.-M.: Tu es magnifique, ma belle fille! Je vais te regarder sur les marches de l'église!

C'est bien ce qui me chicote.

10 h 15

Gabriel sonne à la porte. J'ai préparé tout un scénario avec ma grand-mère. Vu que l'escalier est en face de la porte d'entrée, je me suis organisée avec elle pour faire semblant de ne pas être prête, qu'il entre, puis que je descende une minute plus tard et qu'il me voie (comme dans les films, style *She's All That:* Whouuuuu!).

10 h 16

Je commence à descendre.

10 h 18

Je sors de la maison un peu déçue. Gabriel n'a pas du tout réagi comme Freddie Prinze Jr dans *She's All That*. Il ne m'a pas lancé un regard admiratif. Il a dit: « Yeah! cool, ta robe! » (Carrément comme s'il disait: « Yeah! cool, ta casquette!) Ce n'est pas que je tienne absolument à ce qu'il tripe sur moi. Ni que je sois si coquette. C'est juste que c'est la moindre des choses, il me semble, d'accorder un peu d'intérêt à une fille qui a mis du temps sur son look. Et du budget aussi. Et tout ça pour le mariage de *sa* cousine, que je ne connais même pas! Alors, hein! Pfff!

À l'agenda: Respirer davantage l'air de la campagne, si c'est si bon que ça pour mes neurones, afin d'être plus éloquente quand je veux marquer un point, même si c'est seulement dans ma tête.

10 h 21

Nous montons les marches pour nous rendre à l'église. Je me retourne vers la maison de ma grand-mère et souris nerveusement. Je remonte mon bustier pour être certaine qu'il tient bien en place.

10 h 25

Je vois Paul-Émile Bégin, que Gabriel me présente. Je me penche un peu vers sa cravate qui, même si elle est très vieille et effilochée, sent effectivement très bon. Je me tourne discrètement vers la maison de ma grand-mère et je lève mon pouce en l'air pour lui faire signe que ça sent bon.

10 h 35

Gabriel s'est fait happer par ses cousins (ils sont au moins une dizaine) et je me retrouve un peu toute seule dans mon coin. J'essaie de sourire, mais personne ne vient me parler. Je déteste ces situations où je me retrouve seule dans un groupe où tout le monde se connaît. Je regarde vers la maison de ma grand-mère, je mets ma main au-dessus de mes yeux et, même si le soleil se reflète dans la vitre, je crois apercevoir son bras. Je commence à lui faire des grimaces. Je lui tire la langue. Ensuite, j'étire mon visage complètement en ouvrant ma bouche en « o ». Puis, à l'aide de mes deux index, j'étire ma bouche le plus possible et je sors la langue.

– Aurélie ?

Je sursaute. Je me retourne et je vois Gabriel, ses parents et sa sœur qui me regardent de façon perplexe.

Gabriel : Qu'est-ce que tu fais ?

Moi : Euh… rien… J'avais… quelque chose… entre les dents… Mais je l'ai… pogné.

AU SECOURS !!!!!!!!!!!!!!!!!!!!!!!

Sa sœur aînée, qui est environ du même âge que la mariée, commence à le chatouiller et à lui dire :

– J'savais pas que t'allais emmener ta blonde !

Gabriel : Lâche-moi ! On est… amis.

Moi : Ouain… amis.

Elle rit, se tourne vers moi et lance avec un air moqueur :

– C'est vrai que c'est plate d'avoir des graines dans les dents.

Moi : Ouain… plate.

10 h 47

Après une conversation assez gênante avec les parents et la sœur de Gabriel (mon vocabulaire, qui aurait pourtant été fort remarqué, disons, à l'époque des hommes des cavernes, n'a pas semblé faire un grand effet sur la famille de Gabriel), nous nous dirigeons vers les portes d'entrée de l'église et, juste avant d'entrer, je lance un dernier regard en direction de ma grand-mère et lui fais un signe de la main.

11 h 02

Ma grand-mère avait raison pour *La marche nuptiale*, c'est talamtatam, talatataaaaaaaaaam, tatatatatatatalamtataaaaam, qu'on joue. La robe de la cousine de Gabriel est très belle (absolument laide, mais il n'y a qu'à ma grand-mère que je le dirai, hihi).

11 h 07

La messe est commencée depuis trente millions d'années (quelques minutes seulement, selon ma montre que je secoue pour vérifier qu'elle fonctionne bien). La voix du prêtre se répercute comme un écho. Je suis incapable de me concentrer sur ce qu'il dit parce qu'il parle de façon, disons, compliquée.

11 h 08

La dernière fois que je suis venue à l'église, je crois, c'était lors des funérailles de mon père.

Ce n'était pas dans cette église, mais ça lui ressemblait... J'étais assise entre ma grand-mère Laflamme et ma mère. Sur le banc d'en avant. Mes grands-parents Charbonneau étaient derrière. La chorale chantait quelque chose. Je ne me souviens plus quoi. Je ne pleurais pas. Ma mère, par contre, pleurait beaucoup. Elle avait le visage tout rouge et bouffi. Ce qui me faisait surtout de la peine, c'était de voir mon père, dans la tombe, avec des joues rosées. Mon père n'avait jamais les joues rosées. J'avais l'impression que ce n'était pas lui. Et je me demandais où il pouvait bien être s'il n'était pas là, dans la tombe, en face de moi. J'avais envie de leur dire qu'ils s'étaient trompés, et que même si plein de gens allaient en avant pour lui rendre hommage, ils rendaient hommage à la mauvaise personne.

11 h 09

J'allais me laisser aller à une émotion quand un autre souvenir a surgi dans mon esprit. Je me souviens que, lorsque j'avais environ six ans, je suis venue dans cette église pour la messe de minuit. Avec ma mère, mon père et ma grand-mère. Je tourne mon visage vers la droite et je me rappelle la chorale. Et, à la gauche, il y avait une grande crèche. À un moment, le prêtre nous avait invités à nous lever pour accompagner la chorale qui chantait, je crois que c'était le *Minuit chrétien*. Incapable de me retenir, j'avais pété. Discrètement, bien sûr. Mais ma grand-mère m'avait demandé à l'oreille si c'était moi qui avais pété. Je n'avais pas répondu (vraiment trop gênant, j'avais quand même essayé d'être discrète) et elle m'avait dit que si on se faisait prendre à péter dans une église, on pouvait aller en prison. ET JE L'AVAIS CRUE !!!!

C'est le genre de chose que ma grand-mère faisait et qui me la rendait très antipathique, mais qui, aujourd'hui, a provoqué chez moi une bouffée de tendresse à son égard. Bizarre comme un souvenir qu'on catégorisait comme mauvais peut se transformer. Bon, j'utilise le pronom « on », mais en fait, je parle de moi, donc je devrais dire « je ». Car je ne sais pas si c'est arrivé à d'autres personnes dans le monde de se rappeler un mauvais souvenir et de finalement réaliser que c'était un bon souvenir. Hum...

À l'agenda : Aller consulter neurologue pour régler propension à penser à des matières scolaires pendant mes vacances.

11 h 10

J'ai émis un petit « Hahaha ! » de rien du tout en me remémorant ce souvenir.

Tout le monde m'a entendue émettre mon « Hahaha ! », même si c'était vraiment discret, car j'ai vu plein de têtes (y compris celle du prêtre) se retourner vers moi. J'ai pincé les lèvres et tenté de regarder autour de moi, comme si c'était quelqu'un d'autre qui avait ri, et la messe a continué. Fiou.

Gabriel (à mon oreille) : Qu'est-ce qu'il y a ?

Moi : Rien... Juste un souvenir... d'église.

Il tourne la tête vers les mariés.

Je replonge dans mon souvenir pendant que le prêtre fait son sermon. Après que ma grand-mère m'ait dit que je pouvais aller en prison (Haha, elle est trop drôle!), un peu effrayée, j'avais pris la main de mon père qui, pendant qu'il chantait la chanson en même temps que la chorale, s'était retourné vers moi et m'avait souri.

Je commence à resentir une légère oppression dans mon cœur.

11 h 11

Je regarde ma montre de nouveau. 11 h 11. Wouhou! Je peux faire un vœu!

Cher 11 h 11… J'aimerais plonger dans une montagne de chocolat.

11 h 12

Je ferme les yeux un instant. Et j'ai soudainement envie de simplement me retrouver avec quelqu'un que j'aime. Ma grand-mère. J'ouvre les yeux, je me tourne vers Gabriel et je dis:

– Gab… est-ce que ça te dérange si je m'en vais?

Et, avant qu'il puisse répondre, je sens une boule monter dans ma gorge et je décide de partir. Je longe le mur de l'église, le dos un peu courbé (ça ne change rien, car les gens sont assis, alors courbée ou pas, si quelqu'un a à me voir, il me verra, mais je n'y ai pensé qu'après coup et je ne voulais pas avoir l'air niaiseuse de m'être courbée pour rien, alors je suis restée courbée, en tenant bien mon bustier de robe) jusqu'à la sortie.

11 h 17

Je rentre chez ma grand-mère.

Ma grand-mère (de la cuisine) : Aurélie ?

Et elle vient voir si c'est bien moi.

Moi : C'est moi…

Ma grand-mère : Qu'est-ce qui se passe, ma belle fille ?

Je touche ma gorge qui me fait extrêmement mal, comme si un couteau très tranchant voulait en sortir, m'empêchant du même coup de respirer.

Moi : J'avais envie… d'être avec toi.

G.-M. : Es-tu correcte ? T'as quitté la messe ?

Moi : Il y a un peu trop de poussière là-bas, j'avais de la misère à respirer. Inquiète-toi pas ! J'irai pas en prison pour ça !

G.-M. : Qu'est-ce que tu dis là, toi ? Si t'as faim, j'ai acheté de bonnes framb…

Moi : J'ai… J'aurais vraiment le goût de manger du chocolat. Vraiment.

11 h 25

Mmmm. Je mange des framboises (moins collantes pour les dents que celles en jujube) avec ma grand-mère.

Ma grand-mère rit aux larmes. Je l'observe et son ventre bouge de bas en haut pendant qu'elle rit.

G.-M. : Je t'ai vraiment dit ça ?

Moi : Je te jure ! Textuellement « qu'on pouvait aller en prison si on était surpris à péter dans une église ».

Elle rit de plus belle.

G.-M. : C'est épouvantable de dire quelque chose comme ça !

Moi : Mets-en ! Ça m'a traumatisée ! Le pire, c'est lorsque je l'ai répété à une fille de ma classe et qu'elle m'a regardée comme si j'étais la plus grosse nouille de la terre !

G.-M. : WOUHAHAHAHAHAHAHAHA ! Arrête ! Je vais m'étouffer ! Je n'ai jamais autant ri de ma vie ! (Elle pointe la fenêtre de son nez) : Le p'tit Gabriel s'en vient. Il doit se demander pourquoi tu es partie. Tu devrais aller à la réception, te changer un peu les idées, va ! C'est mieux que de rester avec une vieille grand-mère qui dit des folleries !

Je jette un coup d'œil vers l'église et je vois Gab s'avancer vers la maison.

Il sonne. Ma grand-mère me donne trois tapes sur la cuisse avant d'aller répondre. Je me lève et replace mon bustier.

Gabriel : Qu'est-ce que tu fais ?

Moi : Euh… il fallait que j'aille… aux toilettes.

Ma grand-mère et moi nous lançons un regard complice et je repars avec Gabriel.

23 h 30

Couchée dans mon lit (ben, mon lit chez ma grand-mère), en train de flatter le cou de Sybil. J'ai laissé les rideaux ouverts et je regarde la lune à travers la fenêtre.

J'ai dansé un slow avec Gabriel. Assez collés. Puis, pendant qu'on dansait, il s'est approché de moi et, mal à l'aise, j'ai voulu reculer, ce qui aurait pu s'avérer catastrophique parce que j'ai perdu pied et, au moment où j'allais trébucher sur le (!!!) gâteau de noces (!!!), j'ai fait : « Wouah ! ah ! ahhhhhh ! » en basculant, mais Gabriel m'a rattrapée juste à temps (fiou, je n'ose pas imaginer l'humiliation). Et il a dit :

– T'es un cas, toi, hein?

Et là, j'ai dit:

– Comment ça?

Il n'a rien répondu, il s'est replacé les cheveux derrière l'oreille et il s'est rapproché de moi (cette fois-ci, je l'ai laissé faire, croyant que c'était plus sécuritaire) pour continuer à danser. Son souffle dans mon cou me donnait des petits frissons.

En passant, j'ai dit « comment ça » d'une façon vraiment poche et énervante, du genre: « gna gna gnaaaaa ». Je me donne une tape sur le front en y repensant. Je ne sais pas pourquoi ma voix adopte un ton top niaiseux en sa présence.

Ma théorie: ma voix se module au son de sa voix un peu nasillarde parce qu'il mue. Voilà!

Note à moi-même: Notre relation (strictement amicale, bien entendu) serait parfaite s'il ne muait pas.

Note à moi-même n° 2: Parlant de gâteau de mariage (je n'en parlais pas comme tel, mais j'y pensais), j'en ai mangé. Beaucoup (trop, peut-être?). Il était en pâte d'amande blanche à l'extérieur et en chocolat (Yahouuuuuuu!) à l'intérieur. Trop bon!!!!!!!! Aucun qualificatif n'est assez fort pour décrire le gâteau (ou j'ai carrément oublié tout mon vocabulaire).

Note à moi-même n° 3: Je trouve que, et c'est une critique bien personnelle, 11 h 11 n'a aucun sens de l'humour. Il prend tout au pied de la lettre et on ne peut pas faire de demande, disons, colorée. Désormais, faire attention à ma façon approximative de formuler mes souhaits. La façon dont ils sont exaucés peut s'avérer embarrassante.

À l'agenda: Écrire tout ça quelque part pour m'en souvenir car, étant trop reposée par mon séjour à la campagne, il est possible que je l'oublie.

À l'agenda n° 2: Ajouter des pages à mon agenda, car celui que j'ai ne couvre que l'année scolaire, de septembre à juin. (Je me demande d'ailleurs pourquoi je l'ai traîné dans mes bagages, ça doit être pour ça que c'était si lourd!)

Lundi 31 juillet

À: Aurélie Laflamme
De: Katryne Demers
Objet: Méchant choc

Aurélie !!!!!!!!!!!!

Je viens de rentrer chez moi! As-tu eu ton courrier cet été? Non, sûrement pas. Ma mère ne voulait pas me le dire pour ne pas gâcher mon expérience de camp d'été (je ne lui ai rien raconté à propos d'Émily, ni même tout ce qu'on m'a dit au sujet de mon sac de couchage, même si elle est frue que je l'aie « vandalisé », comme elle dit). Mais, en tout cas, pour faire une histoire courte, notre école ferme !!!!!!!

Malade, hein ?

Pas le temps de t'écrire plus, donne-moi des nouvelles !

Kat

xxx

Août

Le grand ménage

Mardi 1er août

AH-FUUUUUUU, AH-FUUUUUUUUU, AH-FUUUUUUUUUUUU.

Pas de panique. Pas de panique ! Pas. De. Panique.

Étrangement, j'avais comme l'impression, depuis quelque temps, que ma vie était sur « pause ». Que je vivais une autre vie, parallèle à la mienne, et qu'en partant d'ici je retrouverais tout comme avant, au point où je l'avais laissé. Mais finalement, on dirait que, pendant que j'étais ici « sur pause », tout le reste s'est déroulé à une vitesse accélérée.

Tout le monde a reçu une lettre, signée par monsieur Beaulieu, comme quoi l'école vivait des difficultés financières, blablabla, coupures de budget, blablabla, et que les élèves pouvaient être transférées dans une autre école privée, blablabla, avec une lettre de recommandation sans examen d'entrée ou encore, blabla, être relocalisées à l'école secondaire publique la plus près de chez nous.

13 h 01

J'en veux aux filles qui ont milité contre l'uniforme ! Je les tiens responsables de la fermeture de l'école ! J'en veux aussi à monsieur Beaulieu ! Il aurait pu faire quelque chose. J'EN VEUX À LA TERRE ENTIÈRE !!!

13 h 17

En fait, tout est ma faute. C'est à cause de moi que l'école ferme. À cause de mes, disons, pouvoirs paranormaux. Je… J'ai… Eh bien, juste l'autre jour, j'ai souhaité plonger dans du chocolat et pouf, si ce n'avait été de Gabriel, je serais tombée dans un gâteau au chocolat ! Et je me suis rappelé, il y a cinq minutes de cela (bon, en réalité, je m'en suis souvenu bien avant, mais je n'osais pas croire que j'avais une telle connexion avec l'au-delà), que, eh bien… j'avais souhaité que… j'avais dit que la seule chose que je souhaitais dans l'univers était que Nicolas ne m'ait pas vue vomir. Et il ne m'a *pas* vue vomir. Yé.

13 h 24

AH-FUUUUUUU, AH-FUUUUUUUUU, AH-FUUUUUUUUUUUU.

13 h 54

J'ai appelé ma mère pour lui parler de l'école (sans lui dire que c'était ma faute) et elle n'en revenait pas. Elle m'a dit qu'on en parlerait à son retour.

19 h 20

AH-FUUUUUUU, AH-FUUUUUUUUU, AH-FUUUUUUUUUUUU.

Mercredi 9 août

Dans la vie, il ne faut pas s'apitoyer sur son sort ! C'est ce que je me suis dit. (En fait, c'est ce qui était écrit sur le calendrier de ma grand-mère, au mois de mai, en italique, sous la photo d'un coucher de soleil sur le lac, et ça m'a inspirée !) C'est pourquoi j'ai décidé de prendre les choses en main ! Kat et moi avons fait une chaîne d'appels de filles de notre école (on a même appelé Justine et Marilou) et nous avons décidé d'aller manifester devant notre école pour qu'elle ne ferme pas. Il faut dire que ma grand-mère m'a beaucoup aidée et encouragée à le faire. Gabriel aussi. Il m'a donné plein de cartons provenant de la quincaillerie de son père pour fabriquer des pancartes (Le *Miss* avait raison, je suis peut-être un castor finalement, excepté que j'utilise des outils et non mes dents). Tommy m'a dit que c'était super cool qu'on fasse ça et il a même ajouté que, s'il était en ville, il serait venu ! Top cool ! Bref, je m'affaire aux derniers préparatifs (j'écris sur un carton « Les coupures, ça fait dur », avec Gab) avant de me rendre à l'école avec ma grand-mère. Je vais aller leur dire, moi, qu'il ne faut pas fermer l'école ! Rien ne peut m'arrêter ! GROUAAAAR !

13 h 11

Dans la voiture, je dis à ma grand-mère à quel point j'ai hâte de voir Kat. Je lui dis que c'est ma meilleure amie et que si je ne l'avais pas rencontrée, l'école serait juste plate, etc.,

etc. J'ai de la difficulté à tenir sur mon siège tellement je suis excitée. Un vrai moulin à paroles ! J'ai vraiment l'impression que je vais changer le cours des choses. L'école ne fermera pas !

13 h 50

Avant de me rendre à l'école, je suis passée au bureau de poste chercher le courrier. J'avais vraiment envie de voir mon bulletin. Mes notes étaient toutes en haut de 70 %. La plus élevée, en français, était de 88 %. J'ai eu une petite déception. Maintenant que j'ai peur que mon école ferme, je me dis que je n'ai peut-être pas mis tous les efforts qu'il fallait. Ma grand-mère, elle, semblait fière de mes notes (aucune crédibilité : totale groupie).

14 h 01

Arrivée devant l'école, j'aperçois Kat au milieu d'un attroupement de filles et on se saute dans les bras. Ma grand-mère lui dit qu'elle a beaucoup entendu parler d'elle. Il y a beaucoup de filles de l'école qui sont venues et quelques parents se sont déplacés (mais pas ceux de Kat parce qu'ils travaillaient). Je ressens un immense sentiment de fierté. La manifestation, c'était mon idée. Je me sens mature, style grande sage aux cheveux blancs. J'ai eu un choc en apprenant la nouvelle et hop, au lieu de capoter, j'ai respiré par le nez et j'ai décidé de prendre les choses en main. Franchement, je me sens limite euphorique.

14 h 15

J'ai distribué plein de pancartes. Mais quelques filles s'étaient fait leur propre pancarte. On crie: « On aime notre école ! », « Les coupures, ça fait dur ! » et « L'éducation, dans le piton ! » (bon, celle-là, c'était une idée d'une fille de cinquième secondaire, je ne sais pas trop ce qu'elle voulait passer comme message, mais dans le feu de l'action, on trouvait ça *hot*, alors on l'a dit).

15 h 34

Denis Beaulieu est arrivé. Il avait un porte-voix et il a prononcé un discours. Il a dit que ce que les filles faisaient en ce moment le touchait au plus profond de son cœur. Ma grand-mère m'a donné un coup de coude et m'a chuchoté: « Va lui dire que l'idée vient de toi », mais j'ai fait signe que non de la tête et j'ai continué d'écouter ce qu'il disait avec les yeux qui me picotaient.

15 h 54

Denis Beaulieu est arrivé près de nous et m'a dit qu'il était content que je sois là. Ma grand-mère lui a révélé que c'était mon idée d'organiser une manifestation. Et il a dit:

– Alors, comme ça, tu ne veux pas juste sauver les souris ? En passant, manifester, c'est interdit, je te donne une retenue dès la rentrée !

Moi : Naaaaa !

Ce que j'aurais aimé dire : Tant mieux, car ça veut dire qu'il y aura une rentrée. Mais je n'y ai pas pensé sur le coup.

Denis Beaulieu : Ha ! ha ! ha ! c'est une blague.

Il part parler à d'autres parents, et ma grand-mère me dit :

– Il est pas laid, le directeur !

Moi : Grand-m'maaaaan ! OUAAAAACH !!!!!!!

Et là, je lui raconte que j'ai déjà pensé que ma mère sortait avec lui, et que vers la fin de l'année je voulais la *matcher* avec lui, surtout pour avoir les questions d'examens, ce qui l'a fait éclater de rire. Je crois qu'on est comme droguées par la bonne humeur.

16 h 15

Wouhou !!! Notre message passe ! Il y a des camions de chaînes de télé qui sont arrivés et des journalistes avec des micros, suivis de caméramans ! Voyant cela, on se met toutes à crier plus fort : « Les coupures, ça fait dur ! » et « Ne fermez pas notre école ! » Je le sens, je sens que mon école ne fermera pas !

16 h 27

J'ai tout fait pour ne pas être interviewée par les journalistes. J'ai fait le genre de choses qu'on fait pour passer inaperçue en classe, c'est-à-dire baisser la tête et, surtout, ne regarder personne dans les yeux. Mais voilà que – je ne sais pas trop pourquoi – j'ai levé les yeux une fraction de seconde, que mon regard a croisé celui du journaliste, qui m'a repérée et choisie pour son reportage.

16 h 29

Aussitôt que la lumière de la caméra s'est allumée, j'ai pensé qu'il fallait que je sois drôle et qu'ainsi, grâce à mon humour et à mon sens très aiguisé de la répartie, je pourrais sauver l'école.

Journaliste : Alors, t'aimes l'école, toi ?

Moi : Euh... J'aime l'école ? Grosse question. Fffff. J'aime *mon* école, oui. Mais je ne suis pas *nerd*, là. Ben, je... je n'aime pas vraiment faire mes devoirs, hé, hé... Selon le *Miss Magazine*, je suis un peu paresseuse. Mais c'était un test pas rapport, fait que...

Journaliste : Que penses-tu de la fermeture de ton école ?

Moi : Ça dépend, aura-t-on moins de devoirs ? Ha ! ha !

Je dois dire ici que j'étais impressionnée par la caméra. Ç'a rendu mon sens de l'humour douteux.

Moi (qui continue) : Euh... c'était quoi votre question ?

Journaliste : Que penses-tu de la fermeture de ton école ?

Moi : Meh ! Si je suis ici, c'est sûrement parce que ça me dérange.

Journaliste : Les coupures dans l'éducation, est-ce que tu crois que ça handicapera ton avenir ?

Moi : Sûrement que... oui ? Vous devez le savoir plus que moi... En tout cas. C'est poche si des écoles ferment et qu'on se retrouve dans une école où il y a trop d'élèves. C'est vrai qu'aujourd'hui, si on cherche une information, on a Google... Sur Google, on peut tout trouver et c'est gratuit, mais... on ne peut pas toujours s'y fier, fait que...

Kat me regarde, lève ses mains, retourne ses paumes et sa bouche mime les mots « Qu'est-ce que tu fais ?!? » Sa voix n'émet aucun son, mais le regard qu'elle me lance signifie que je me cale et que je suis en train de nuire à ma cause. Je ne savais pas que c'était si difficile de donner son opinion à la télé !

Journaliste : Crois-tu que le fait que vous soyez une école de filles et que l'uniforme soit obligatoire puisse décourager des élèves de s'inscrire ?

Moi : C'est sûr ! Mais c'est con ! Un cours de français, avec ou sans gars, c'est un cours de français pareil.

Kat me fait un signe de pouce en l'air.

Journaliste : Certains réfractaires à l'uniforme disent que ça empêche les jeunes d'exprimer leur personnalité.

Moi : Pfff ! Pas rapport. Vous êtes bien obligé de porter un complet et une cravate en plein été, vous, pis vous êtes capable d'avoir une personnalité.

Journaliste : Je ne suis pas obligé de porter un habit.

Moi : Ah… Ben… Euh… Chacun ses goûts.

À ma défense… C'était vraiment gênant et le journaliste prenait un air sérieux qui m'impressionnait.

16 h 43

Bon, d'accord. J'aurais pu faire mieux. Kat n'a pas manqué de me le rappeler. Elle m'a trouvée vraiment poche et me dit tout ce que j'aurais dû dire au lieu de dire des niaiseries. Je lui réponds que j'aurais bien aimé qu'elle soit à ma place pour voir si elle était capable d'une si grande éloquence que ça à la télé. Et là, elle m'a dit : « Regarde, pourquoi t'es capable de dire de gros mots à cent piasses comme ça devant moi, mais pas quand tu passes en entrevue pour sauver notre école ? » Puis, ma grand-mère est arrivée et elle nous a lancé :

– Accordez-vous donc, c'est si beau, l'accordéon.

Ce qui nous a laissées bouche bée quelques secondes avant d'éclater de rire.

Jeudi 10 août

Gabriel m'a invitée à aller au ciné-champ avec lui. C'est un champ, à côté du ciné-parc, où on aperçoit un des écrans et, avec une radio, on peut capter le son du film. Il paraît que c'est super cool. Ça me tente d'y aller avec lui, mais je dois absolument regarder les nouvelles. Pas que j'aie récemment développé un goût particulier pour ce genre d'émission mais, hier soir, le reportage sur mon école n'a pas été diffusé et je veux voir s'il le sera aujourd'hui.

17 h 59

Je n'ai jamais attendu un bulletin de nouvelles avec autant d'impatience. (En fait, je n'ai jamais attendu un bulletin de nouvelles, *tout court.*) Ma grand-mère est un peu stressée elle aussi et mâche frénétiquement une gomme.

18 h

Ma grand-mère et moi sommes fébriles. En manchette, ils ont annoncé: «Manifestation pour sauver une école privée.» Wouhou!

18 h 17

Le journaliste a parlé à Denis Beaulieu qui expliquait qu'il avait été en négociations toute l'année afin de trouver des solutions pour sauver l'école.

Je me suis soudainement souvenu de la conversation que j'avais surprise en passant devant son bureau vers la fin de l'année scolaire. Quand il parlait «des filles», il parlait donc de nous, les élèves de l'école... Avoir su! J'aurais pu continuer à essayer de le *matcher* avec ma mère, me débarrasser de F.B. et obtenir les questions d'examens à l'avance, ce qui aurait grandement aidé mon rendement scolaire! Oups. Focalisons sur les nouvelles.

18 h 19

Une autre fille que je ne connais pas dit qu'elle n'a pas envie de changer d'école parce qu'elle aime son école et les profs, puis on voit... moi. Ça donne quelque chose comme:

Journaliste: Alors, t'aimes l'école, toi?

Moi: Je suis un peu paresseuse.

À la télé, j'ai un nez énorme et une face de chevreuil qui aurait foncé dans un pare-brise (pas que j'en ai déjà vu, mais j'imagine que si un chevreuil fonçait dans un pare-brise, il aurait ma face). En plus, je repère deux boutons que je ne m'étais même pas rendu compte que j'avais. Je touche ma joue pour voir s'ils sont là. Effectivement, j'ai deux boutons. Ah.

Journaliste : Les coupures dans l'éducation, est-ce que tu crois que ça handicapera ton avenir ?

Moi : Sur Google, on peut tout trouver et c'est gratuit.

Et on me voit tourner les yeux et ça donne l'impression que je me fous de l'école, alors que j'essayais de dire télépathiquement à Kat – qui me faisait des gros yeux – que le journaliste m'intimidait.

Constatation (très spirituelle) : Dans la vie, il est possible d'être victime de plusieurs sortes de coupures…

18 h 20

Suite de l'entrevue.

Journaliste : Crois-tu que le fait que vous soyez une école de filles et que l'uniforme soit obligatoire puisse décourager des élèves de s'inscrire ?

Moi : Un cours de français, avec ou sans gars, c'est un cours de français pareil.

18 h 21

Ma grand-mère se tourne vers moi et me dit :

– T'étais bonne ! Tu devrais faire de la télé !

C'est là que j'ai su officiellement qu'elle m'aimait.

Moi : C'est le manque de nicotine qui te rend sourde et aveugle ? Je viens de faire une folle de moi !

Dring ! Le téléphone sonne. C'est Kat qui me dit :

– C'était quoi ton argument avec Google ?

Moi : Je voulais faire une blague, mais je me suis embourbée… Je voulais dire que les adultes ne devaient pas nous laisser nous instruire seulement avec Google, même si on peut supposément tout trouver là-dessus. Mais ç'a mal sorti. Essaie de parler, toi, avec une caméra dans la face ! Attends, ça sonne sur l'autre ligne.

C'est Gab qui dit :

– Hé, super cool, ton topo ! Mais je n'ai pas trop compris ce que tu voulais dire avec Google… Que ça peut remplacer l'école ?

Moi : Je voulais dire que les adultes ne devaient pas compter sur le fait qu'on ait Internet pour notre éducation. Que l'école, c'était important et qu'il ne fallait pas fermer une bonne école comme mon école. Mais dans le feu de l'action, je me suis mal exprimée. Ah ! personne ne me comprend !

Ma grand-mère : J'ai compris, moi ! Hé, Aurélie, lâche le téléphone, ils font un débat sur les écoles publiques et les écoles privées, viens écouter ça !

Moi : Gab, je te laisse, il y a un débat !

Gab : Après ton débat, viens avec moi au ciné-champ !

Moi : OK, bye !

Je passe à l'autre ligne.

Kat : C'était donc ben long !

Moi : 'Scuse, c'était Gab.

Kat : Hu-hum…

Moi : Je te laisse, il y a un débat sur les écoles publiques et privées. Va l'écouter, toi aussi !

Kat : Ah non, je suis tannée de cette affaire-là !

18 h 34

Bizarrement, même si le sujet m'intéresse, je tombe dans la lune toutes les deux secondes. Selon les intervenants, l'école privée ne devrait pas être financée, même si c'est seulement en partie, par le gouvernement, etc., etc. L'école publique est aussi bonne, etc., etc. L'uniforme n'a pas sa place dans la société, etc., etc. Je réalise que leur opinion m'importe peu. Qu'une école soit moins bonne, égale, ou n'importe quoi, tout ce que je veux, moi, c'est MON école. (J'aimerais pouvoir dire que j'aurais aimé être là pour leur dire ma façon de penser, mais j'ai eu l'occasion de donner mon opinion et j'ai raté mon coup… Poche !)

Ma grand-mère se retourne vers moi.

G.-M. : C'est intéressant, hein ?

Moi : Bof.

G.-M. : Faut pas que ça te stresse. Si tu changes d'école, tu vas te faire d'autres amis.

Moi : Je n'ai pas besoin d'avoir d'autres amis, j'ai Kat.

G.-M. : T'sais, les petits canards. T'as vu comme ils ont grandi ? Eh bien, à la fin de l'été, ils partent du lac et s'en vont dans les pays chauds. Ils découvrent un nouvel endroit.

Moi : Es-tu en train de me faire une métaphore ? Genre, les canards sont bien ici, mais ils s'en vont et vont être aussi heureux ailleurs et nanana?

G.-M.: Euh... oui.

C'est quoi le trip des adultes avec leurs métaphores?

Moi: Non, mais, grand-m'man, je suis en français enrichi, je suis experte en phrases qui disent des affaires qui veulent dire d'autres affaires! Sauf quand c'est ma mère qui le fait, parce qu'elle est trop compliquée!

G.-M.: Bon, j'imagine que j'ai pas été trop subtile.

Moi: Pas trop...

20 h 30

Au ciné-champ avec Gab, couchée sur une couverture en laine, en train de me plaindre de ma pitoyable prestation télévisée.

Gab: La dernière chose qu'on retient, c'est la dernière chose que t'as dite. Et c'était super brillant. En plus, t'étais belle et tu souriais. À la limite, on n'entendait pas ce que tu disais.

21 h 15

Le film a commencé. C'est vraiment tripant, le ciné-champ. Avoir su que ça existait, j'aurais demandé à Gab de venir ici tous les soirs.

Moi (me retournant vers Gab): Pourquoi tu ne m'as pas emmenée ici avant?

Gabriel: Ben là! T'avais de la misère à venir te baigner!

Moi: C'est pas pareil...

Gabriel: T'es dure à suivre!

Moi: Meh, pas rapport! J'aime juste pas ça me baigner, j'ai le droit!

Gabriel : Je ne t'ai pas invitée parce que je croyais que t'aurais peur des araignées.

Moi (en me levant spontanément) : WOUAAAAAAAAAAAHHHHHHHHH ! DES ARAIGNÉÉÉÉÉÉÉEEEEEEEES ???????????????

Tout le monde me fait : « Chuuuuut ! » et Gab se lève et me dit tout bas :

– Ben là, qu'est-ce que tu pensais ? On est dans un champ. Assis-toi, et s'il y en a une, je m'en occupe.

On se rassoit sur la couverture.

Il se retourne et continue de regarder l'écran, puis, après quelques minutes, pendant que, dans le film, il y a un montage musical, il se retourne vers moi et il dit :

– T'sais quoi ? Je suis sûr que ton école ne fermera pas.

Et là, il m'a regardée un instant et je (et je parle bien ici de moi, Aurélie Laflamme) l'ai embrassé. Comme ça, paf !

Bon, évidemment, j'aurais pu simplement dire « merci », ç'aurait été d'usage, disons, pour souligner sa gentillesse. Mais non, moi, j'ai, pouf, perdu la tête.

Sur le coup, quand mes lèvres ont touché les siennes, je me suis mise à trembler. Alors, il a dit :

– T'as froid ?

Et, sans attendre ma réponse, il a enlevé sa veste de jeans et l'a déposée sur mes épaules. Et on a recommencé à s'embrasser. J'entendais ses amis, un peu plus loin, nous taquiner. Mais j'avoue que ça ne me dérangeait pas. C'était juste le *fun* de me coller sur quelqu'un (lui).

22h 18

Hihi!

22 h19

Pas rapport avec mon hihi!

22 h 20

Bon, ça y est, je délire.

Samedi 12 août

À: Aurélie Laflamme
De: Nicolas Dubuc
Objet: Salut

Salut, Aurélie!

Je t'ai vue à la télé et je t'ai trouvée vraiment bonne!

J'espère que ton école ne fermera pas.

Appelle-moi quand tu reviendras de chez ta grand-mère! :)

Nic

14 h

Au téléphone avec Kat, encore sous le choc.

Moi : Qu'est-ce que tu penses qu'il a voulu dire quand il écrit : « J'espère que ton école ne fermera pas » ?

Kat : Ben qu'il souhaite que ton école ne ferme pas.

Moi : Non, mais... Penses-tu que c'est parce qu'il ne voudrait pas que je me retrouve à son école ?

Kat : Je pense que tu essaies trop d'analyser son message. Il veut juste dire ce qu'il a écrit.

Moi : Mais le bonhomme sourire, ça veut dire qu'il veut que je l'appelle pour qu'il puisse rire de moi en personne ou plutôt qu'il ne m'en veut pas et que l'eau a coulé sous les ponts, disons ? Penses-tu qu'il veut qu'on reprenne ? Oh ! mon Dieu ! il veut qu'on reprenne !!!!!!!!

Kat : C'est juste un bonhomme sourire...

Moi : Oui, mais... il est placé juste après la phrase où il me dit de l'appeler... Il me semble que le bonhomme sourire placé après cette phrase particulière est assez significatif.

Kat : Il signifie « appelle-moi pour qu'on reprenne » ?

Moi : Non ! « Appelle-moi, je ne suis plus fâché, je me suis ennuyé de toi cet été et quand on se reverra, je te dirai que je t'aime encore ! »

Kat : Aurélie, je pense que c'est vraiment juste un bonhomme sourire de... bonne humeur.

Moi : De bonne humeur, pourquoi tu penses ? Parce qu'il a découvert qu'il a été con de me laisser pour une niaiserie et qu'il veut reprendre ! Crois-tu que je devrais lui répondre ?

Kat : Il dit de l'appeler quand tu reviendras de chez ta grand-mère.

Moi : Oui, mais si je ne lui réponds pas avant, il va peut-être penser que je le boude ou que je ne veux pas lui parler. Il va peut-être carrément penser que, quand je lui ai craché la gomme dans la face, je voulais *vraiment* cracher ma gomme dans sa face.

Kat : Ben voyons donc ! Tu reviens de chez ta grand-mère dans trois jours. Il ne se mettra pas à croire que tu lui as craché une gomme dans la face par exprès juste parce que tu l'appelles dans trois jours.

Moi : Ou quatre. Je ne peux pas l'appeler le soir de mon retour. Ça fait téteux. Le mieux serait que je lui réponde tout de suite, que je mette un bonhomme clin d'œil à la fin du courriel, qui signifierait « je comprends ce que veut dire ton bonhomme sourire et je pense la même chose » et que je l'appelle deux jours après être revenue. Hum… d'un autre côté, il n'a pas mis de becs en dessous de son nom… Ça brouille la piste.

Kat : Quelle piste ? Tu me donnes mal à la tête.

Moi : Pfff ! Toi-même ! Tu pensais qu'homonyme était synonyme d'homosexuel et je devrais t'écouter ?

Kat : Tu vois… tu me donnes mal à la tête ! Si tu ne m'écoutes pas, écoute les conseils de reconquête du *Miss :* sois indépendante.

Moi : OK. Bon… Si tu le dis. Je ne lui écrirai pas, d'abord ! Bon, une affaire de réglée.

Kat : Comment ça, *une* affaire ?

Moi : Ben... hier soir... j'ai comme... embrassé Gabriel.

Kat : Monsieur Grenouille ?

Moi : Appelle-le pas comme ça ! Aimerais-tu ça qu'on t'appelle madame Hamster juste parce que t'as des hamsters ?

Kat : J'ai *un* hamster : Caprice ! Si j'avais quatre hamsters, peut-être que le monde m'appellerait de même, t'sais.

Moi : Il n'a pas quatre grenouilles, il en a trois. Et elles sont vraiment *cutes*. Toutes petites, vertes. T'aurais tripé si tu les avais vues.

Kat : Ouain, tu tripes pas mal sur lui, hein ?

Moi : Il est vraiment fin... J'ai vraiment tripé cet été avec lui, mais...

Kat : ... tu vas tout gâcher parce que ton ex t'a fait un bonhomme sourire.

Moi : C'est pas ça ! C'est juste que... Nicolas... c'est Nicolas, t'sais. Et Gab... il habite loin, de toute façon.

Kat : T'as pas le choix, il faut que tu lui parles.

Moi : À Nicolas ? Oui, t'as raison, je vais lui écrire un courriel tout de suite. Je savais qu'il fallait que je fasse ça.

Kat : Noooooon ! pas à Nicolas, à Gabriel. Oh, petit conseil, explique-lui la situation. C'est plus cool que de le *flusher* brusquement. J'ai regretté d'avoir fait ça avec David Desrosiers après avoir appris à le connaître. Ha ! ha ! ha ! On dirait que ça sonne comme si j'étais sortie avec *David Desrosiers*... le vrai !

Moi : Franchement, Kat !

Kat : En tout cas... Dis-lui que tu n'es pas prête à ouvrir ton cœur de nouveau, genre.

Moi : Ah oui, « pas prête », c'est bon ça ! Oh, t'es *hot* !

16 h

Au parc, derrière l'église, avec Gabriel. Il est assis sur une balançoire et je suis debout devant lui à gesticuler une explication sans fin. En fait, je lui ai dit : « Je ne suis pas prête à ouvrir mon cœur de nouveau », mais il m'a regardée sans rien dire alors, un peu mal à l'aise, j'ai entamé une loooongue explication :

– Blabla premier baiser… Blabla sorti avec… Blabla mon voisin… Blabla DEVANT LES FENÊTRES DE *MUSIQUEPLUS* ! Crotte d'oiseau… Blablabla… Reconquérir, mais tombée dans des sacs de bouffe pour chats… Blabla gomme… DANS SA FACE ! Bref… il vient de m'écrire et je me sens mêlée… Blabla… Mais, t'es vraiment un gars super. Je ne sais pas ce que j'aurais fait sans toi cet été. T'étais comme… mon meilleur ami. Blaaaaablaaaaablaaaaa.

Gabriel : Je savais que t'étais un cas.

Moi : Je m'excuse…

Gabriel : C'est pas grave… je suis quand même content.

Moi : Ah oui ? Pourquoi ?

Gab : Parce que je vais pouvoir dire que j'ai frenché avec Auréliiiie-viens-souper !

Moi : Oh, t'es con !

Je dis ça avec un petit sourire et je lui donne un coup sur l'épaule. Puis, il se lève de la balançoire et me serre dans ses bras. Après quelques minutes, je me recule et je dis :

– Gab… j'aimerais vraiment ça qu'on reste amis.

Il replace ses cheveux derrière son oreille droite.

Gab : C'est toujours ce qu'on dit, mais t'sais, l'école recommence, et on va rencontrer plein de monde, et finalement on ne se donnera pas de nouvelles parce qu'on va être occupés et tatata, fait qu'on se dit bye, pis quand tu viendras chez ta grand-mère, tu me donneras des nouvelles, si ça te tente. Je te souhaite vraiment que ton école ne ferme pas… pis que ton Nicolas se rende compte qu'il a été con. Pis, en passant, l'école publique, c'est pas si pire que ça.

Moi : Mon école ne fermera pas. J'ai confiance.

Dimanche 13 août

Il est tard et ma grand-mère et moi sommes assises dehors. Elle m'a dit que c'était le temps des Perséides et que ça pourrait m'aider à garder mon école ouverte de faire des vœux. Depuis qu'on est assises, j'ai déjà vu dix étoiles filantes ! On entend les criquets et, même si je suis stressée par les derniers événements, je me sens relax. Je regarde ma grand-mère qui regarde le ciel. De profil, elle ressemble vraiment au souvenir que j'ai du profil de mon père. Je ne sais pas si c'est parce que c'était son vrai profil ou si, avec les années, j'ai oublié son visage et que j'en ai recomposé un avec le visage de ma grand-mère. Un genre de Photoshop de mémoire.

Je n'ai jamais vraiment parlé de mon père avec ma grand-mère. J'ai essayé quelques fois, cet été, mais je me suis ravisée, pensant que ça lui ferait de la peine. Je me suis imaginé que tout le monde était comme ma mère. Qu'il était préférable qu'on n'en parle pas pour ne pas déterrer de vieux souvenirs douloureux et poussiéreux.

Mais c'est ma dernière soirée ici, dans une maison où mon père a vécu, et j'aurais envie de parler de lui avec ma grand-mère. Mais je ne sais pas comment aborder le sujet. J'aurais seulement envie de dire: « Grand-maman, parle-moi de mon père. Pendant des heures et des heures », mais les mots n'arrivent pas à sortir de ma bouche.

21 h 55

Une étoile filante passe.

Chère étoile filante, faites que ma grand-mère me parle de mon père, s'il vous plaît.

22 h 05

Je m'emmitoufle encore plus dans ma couverture, car le vent est frais.

Moi (toujours à regarder le ciel) : Est-ce que tu t'ennuies de… la cigarette ?

Ma grand-mère : Non. C'est de la cochonnerie ! Mais quand tu seras partie… Je vais peut-être trouver ça dur. Mais toi, j'espère que tu vas maintenant manger du chocolat seulement par plaisir et pas pour manger tes émotions.

Moi : Meh ! C'est quoi l'affaire ?

G.-M.: Je t'ai vue faire! Quand on a des problèmes dans la boîte à poux, il y a d'autres solutions que manger!

Moi: Heille! Tu me fais sonner comme si j'étais folle!

G.-M.: Toi? T'es une force de la nature, ma belle fille. Mais il faut que tu fasses attention si tu ne veux pas te retrouver avec une bedaine comme ta grand-mère!

Elle se pince la bedaine.

Moi: C'est tellement bon, le chocolat! Pis c'est un peu de ta faute!

G.-M.: De ma faute?

Moi: Oui, avec le mégachocolat que tu m'as acheté pour Pâques, ça m'a rendue accro.

G.-M. (en me pinçant la joue): Ha! ha! ha! ha! Oh, toi! As-tu aimé ça, passer l'été avec ta vieille grand-mère?

Moi: Je m'ennuie de ma mère, mais j'avoue que ça me fait quelque chose de m'en aller.

G.-M.: Hon! Tu peux revenir quand tu veux, tu le sais.

Moi: Quand j'étais petite, je te trouvais sévère… Mais t'es cool, finalement.

G.-M.: C'est vrai? Tu me trouvais sévère? Je ne voulais trop pas être fine parce que j'avais peur de perdre mon autorité…

Après un silence, elle se retourne vers moi et me dit:

– J'étais bien fâchée quand ton père nous a annoncé qu'il allait déménager en ville.

Moi: Ah oui?

G.-M.: Oui! Je lui ai fait une de ces crises, tu aurais dû me voir! Pourtant, il aimait la campagne. Je ne comprenais pas sa décision.

Moi : Il aimait ça ? Je ne savais pas.

G.-M. : Oui. J'étais très surprise qu'il déménage en ville. Mais c'est là qu'il voulait faire sa vie. Après l'université. Avec ta mère. J'étais encore plus fâchée quand tu es née. Ma petite-fille…

Moi : T'étais fâchée que je naisse ?

G.-M. : Non, que tu habites loin et que je ne puisse pas te voir plus souvent.

Moi : C'est vrai ?

G.-M. : Tu m'as beaucoup manqué, tu sais… J'aurais aimé ça, te voir plus souvent.

Moi : Tu fais les meilleures crêpes du monde, en tout cas !

Elle me donne trois tapes vigoureuses sur la cuisse et la pétrit. Ça m'a pris une bonne dose d'orgueil pour ne pas crier « ouch ».

Moi : Je crois qu'il aimait ça, habiter en ville. Mon père. Puis, il aimait notre maison. Il y faisait toujours des travaux pour la rendre plus belle.

G.-M. : Ah, oui, il était habile, ton père ! Comme son père… Tu l'aimes, le chum de ta mère ?

Moi : Hmmmouain.

G.-M. : Non ?

Moi : C'est que… mon père…

G.-M. : Il me manque à moi aussi, tu sais…

Je la regarde et lui souris.

G.-M. : On ne devrait pas survivre à nos enfants.

Moi : Je peux te dire que survivre à son parent, ce n'est pas plus facile.

G.-M. : P'tite chatte…

Moi : Tu ne t'es jamais fait d'autre chum, toi ?

G.-M.: Hahaha! Moi? (Elle réfléchit un instant.) Je l'aimais ben gros, mon mari. J'étais sûre que j'allais le suivre. Mais… je suis encore là. Et si je l'avais suivi, je ne t'aurais pas connue.

Moi: Je pense que tu pourrais sortir avec quelqu'un. Paul-Émile, avec sa belle cravate!

G.-M.: Hahahaha! Non, pas lui!

Son ventre bouge de haut en bas.

Moi: Je l'aime, moi, ta bedaine!

Je lui grattouille le ventre et elle rit.

Moi: Oh! regarde la méga-étoile filante!

G.-M.: Wow! Quand elles sont grosses de même, on peut dire nos vœux tout haut!

Moi: Pas rapport, on n'a pas le droit de révéler nos vœux!

G.-M.: Allez, pour ta dernière soirée, dis-moi ce qui te ferait le plus plaisir. J'ai envie de te gâter. N'importe quoi. Même s'il faut que je retourne à mon fourneau et que je te fasse des crêpes!

Je la regarde. Je respire. Je pince les lèvres. Puis, je lance:

– Que… tu me parles… encore… de mon père.

Ouch. Une boule m'est montée dans la gorge et j'ai senti un début de larme dans mes yeux, mais ma grand-mère a souri et elle a commencé à parler, et moi, à écouter.

Minuit

J'ai appris, en géo, que les étoiles filantes ne sont pas des étoiles et qu'elles ne filent pas. Ce sont de minuscules poussières extraterrestres, qui pénètrent dans notre atmosphère, qui s'échauffent et se consument en une fraction de seconde en dessinant des stries lumineuses dans le ciel. Ce sont, disons, des débris cosmiques. Donc, techniquement, ça n'a pas rapport de faire un vœu en regardant ça. Bien honnêtement, je comprends pourquoi on fait des vœux à 11 h 11, c'est comme si on était chanceux de regarder l'heure et de voir plein de chiffres identiques. Et tant qu'à être chanceux, pourquoi ne pas se servir de cette chance et en profiter pour faire un vœu. Dans le cas des étoiles filantes, c'est plus flou. C'est une gang de roches qui tombent du ciel, après tout, et le phénomène n'est pas si rare, même s'il y a des périodes de l'année où il est plus facile de l'observer. Mais dans les faits, je n'ai jamais été aussi satisfaite d'une entreprise de souhaits. Les anecdotes de ma grand-mère sur mon père étaient comme ses blagues : avec plein de détails inutiles. Mais, étrangement, ce sens du détail, bien qu'il soit assommant quand il s'agit de blagues, m'a semblé vraiment essentiel dans cette discussion précise. J'ai appris plein de choses sur mon père. Des choses vraiment drôles !

Merci, étoiles filantes !

Mardi 15 août

Uuuuuuneeeeeeee phooooootoooooooo aaaaaaaaaaaprèèèèèèèèèès l'aaaaaaaaaaaaaa utreeeeeeeeeeeeee.

Je suis arrivée chez moi, hier, en fin d'après-midi, quelques minutes après ma mère et François, qui sont presque aussitôt allés se coucher à cause du décalage horaire.

Ma mère et moi nous sommes vraiment serrées fort dans nos bras. Je ne me souviens pas qu'on ait été séparées aussi longtemps et j'étais contente de la revoir.

Ce matin, ma mère m'a donné plein de cadeaux et, par la suite, elle et François ont commencé à me montrer leurs photos de voyage, que je regarde en ce moment en écoutant leurs anecdotes.

Ma mère devant la tombe de Jim Morrison, son idole de jeunesse, au cimetière du Père-Lachaise.

Ma mère et François devant une maison dont ils appréciaient l'architecture.

Ma mère en train de lire un journal, sur une terrasse.

Ma mère et François au château de Versailles.

François Blais devant une pancarte d'interdiction de stationner où il est écrit: « Stationnement gênant ». (J'avoue que celle-là m'a fait rire).

La tour Eiffel.

La tour Eiffel sous un autre angle.

La tour Eiffel floue.

La tour Eiffel le soir.

Ma mère et la moitié de visage de François devant une partie de la tour Eiffel floue, le soir.

Etc., etc., etc.

Le problème, avec les appareils photo numériques, c'est que le nombre de photos de voyage à regarder est iiiiiiinfiiiiiiiiiniiiiiiiii.

13 h 15

Ma mère et François racontent une anecdote inteeeeeeeeeerminable, qui s'est supposément passée sur les Champs-Élysées (ce qui me fait penser à Kat et à sa chanson de camp qu'elle m'a chantée au complet hier soir au téléphone et que j'ai encore dans la tête).

13 h 27

Mon Dieu ! Cette anecdote ne finira jamais ! Je feins un sourire attentif, mais je laisse vagabonder mes pensées.

14 h

Ma mère : Oh, j'ai une autre anecdote très drôle à te raconter !

Moi (dans ma tête : soupir ; dans la vraie vie) : Super.

Ma mère : François et moi, on a tellement pensé à toi quand c'est arrivé qu'on riait comme des fous !

François : Ah oui ! l'affaire du pop-corn ?

Ma mère : Ouiiiii ! Tu vas voir, c'est très drôle ! À un moment, je racontais une anecdote, je ne me souviens plus de l'anecdote, mais en tout cas, ça parlait de maïs soufflé… Alors, je dis « blablabla… maïs soufflé »…

Moi : Depuis quand tu dis du « maïs soufflé » ?

Ma mère : J'essayais de bien parler. Vu que j'étais en France. Tu sais ? Et là, la dame à qui je parlais, une cliente qu'on rencontrait, me dit : « C'est quoi, du maïs soufflé ? »

François : Et là, ta mère a dit : « Meh ! du pop-corn ! » sur le même ton que toi ! Ha ! ha ! ha ! ha ! ha !

Moi : Meh ! quel ton ?
François : Ce ton-là !!!
Moi : Qu'est-ce que tu veux dire ?
François : Un petit ton frondeur.

Voici comment une anecdote qui était annoncée comme drôle, soit dit en passant, s'est transformée en totale insulte.

Et on viendra me dire que j'exagère quand je dis que F.B. est diabolique. (Bon, techniquement, je ne l'ai jamais dit à personne, alors personne ne m'a dit que j'exagérais, mais je suis certaine que si j'en parlais, il s'en trouverait pour dire que j'exagère alors que, dans les faits, j'ai raison, mais personne sauf moi ne semble s'en rendre compte.)

Mercredi 16 août

C'est aujourd'hui. C'est aujourd'hui que j'appelle Nicolas. Et que je vais savoir si son bonhomme sourire signifiait le re-début d'une re-nouvelle histoire d'amour entre nous.

J'ai appelé Tommy pour avoir son avis au sujet du bonhomme sourire (même si c'est un interurbain, j'avais besoin de l'avis d'un gars), et il m'a dit : « C'est clair que c'est parce qu'il veut sortir avec toi », mais il avait un ton sarcastique, alors je ne crois pas que ce soit son vrai avis. Je me fous de son cynisme ! Il peut dire ce qu'il veut ! Moi, je vais ressortir avec Nicolas ! Titilititiiiiiiiiii !

13 h 45

Nicolas m'a donné rendez-vous derrière l'animalerie où il travaille, à l'heure de sa pause. Je suis arrivée avant qu'il sorte.

Je l'attendais adossée au mur de l'arrière-boutique et quand j'ai entendu « clung », le bruit de la porte qui s'ouvrait, j'ai failli faire une crise cardiaque (je ne savais pas qu'un bruit de porte pouvait créer un tel effet) !

Quand je l'ai vu, je me suis tout de suite sentie bizarre (pas à cause de ma pseudo-crise cardiaque, mais parce que j'étais devant lui...). On s'est dit « allô » et, ensuite, je ne savais plus quoi dire. Nous étions l'un en face de l'autre, silencieux. J'ai remarqué qu'il ne sentait plus la même chose. Alors, assez stressée par la situation parce que aucun de nous ne parlait, j'ai lancé (malgré moi) :

– Tu sens... différent.

Nicolas (en soulevant son bras pour vérifier) : Je pue ?

Moi : Non ! Hahaha ! Non ! Non ! Non ! C'est pas ça que je voulais dire ! C'est que...

Nicolas : C'est peut-être ma nouvelle sorte de désodorisant. J'ai peut-être mal choisi...

Moi (avec ce réel ton de surprise, malheureusement) : Aaaaaaah ! Alors, tu ne sens pas le cochon ?!!!!!!!!

Nicolas : Euh... quoi ?

Moi : Euh... 'scuse. C'est que... dans les assouplissants, ils mettent parfois... c'est ma grand-mère qui m'a dit ça cet été, mais en tout cas, laisse faire, fais comme si je n'avais pas parlé, OK?

Nicolas: T'es… bizarre.

Moi: Ouain… ç'a l'air qu'il va falloir que j'apprenne à vivre avec ce «phénomène».

Nicolas: Comme ça, t'as passé un bel été?

Moi: Hu-hum… pas pire.

Nicolas: Ah.

Moi: Il y avait… de beaux canards.

Nicolas: Ah ouain… des canards.

Moi: Ouain, *cutes*.

Nicolas: Ton école ferme. Vas-tu venir à Louis-De-Bellefeuille?

Moi: Mon école ne fermera pas.

Nicolas: Mais si jamais elle ferme?

Moi: J'ai fait une manifestation et ç'a bien fonctionné. J'ai de l'espoir.

Nicolas: Je t'ai vue à la télé.

Moi: J'ai dit des niaiseries! Mais c'est total à cause du stress de la caméra…

Nicolas: Je t'ai trouvée bonne. (Il baisse la tête.) Et belle…

Moi (gênée): Merci…

Je le regarde. Il me regarde. Je sens que c'est là qu'on va s'embrasser et recommencer à sortir ensemble. Et que tous les mois qu'on a passés séparés seront derrière nous. Enfin!!! Nicolas deviendra ami avec Tommy et les deux riront de l'affaire MusiquePlus! Ça deviendra un *running gag* entre nous trois. On deviendra comme les doigts de la main, avec Kat aussi. On va faire plein d'activités, genre aller au cinéma, se promener dans les parcs, etc., etc. On va même aller à La Ronde avant le début de l'année scolaire et, cette fois, je ne vomirai pas parce que je le vois, car je serai arrivée avec lui. Nicolas ! Hi-hi-hi-hou-hi ! Ça va être le bonheur total. La belle vie. La…

Nicolas : J'ai appris que tu t'étais fait un chum.

Moi : Hein ??!??????? Qui t'a dit ça ? C'EST TOTALEMENT FAUX !

Nicolas : C'est Julyanne qui m'a dit ça l'autre jour, au parc.

Moi : Julyanne ????????????????????

Nicolas : Oui. Elle a dit que t'avais rencontré un gars.

Moi : Oui. Non. Ben oui. Mais non !

Nicolas : Quoi ?

Moi : C'est un ami.

Nicolas : Comme Tommy.

Moi (avec un débit hyper rapide) : Non ! Tommy, c'est un ami « ami ». Bon, l'autre gars, Gabriel, c'est… on a été amis tout l'été, et là… on s'est un peu embrassés. Mais c'était juste le temps d'un film ! Comme… l'inspiration du moment ! Mais on n'était plus ensemble. Toi et moi, je veux dire. Je croyais qu'il fallait que je t'oublie. Tu ne m'as pas donné de nouvelles. Jusqu'à ton courriel, et là, j'ai pensé que…

Nicolas : L'inspiration du moment, comme à MusiquePlus ?

Moi : Oui ! NON ! MusiquePlus, c'était une erreur de Tommy ! En tout cas. Mais il n'y a rien avec l'autre gars. On ne se donnera même pas de nouvelles. J'étais loin… En tout cas. Et toi ? T'as passé un bel été ?

Nicolas : J'ai une blonde, moi aussi.

Moi : Toi « seulement » et non « aussi ». Parce que moi, je n'ai pas de chum.

Nicolas : Quand je t'ai vue à la télé, ça m'a fait de quoi. T'sais. Je voulais te revoir. Mais là, Julyanne m'a dit que t'avais un chum et il y a une fille… On s'est beaucoup tenus ensemble, cet été… Fait que… Je pensais que… t'avais un chum.

Moi : Ben non !

Nicolas : Ben… tu vas sûrement t'en faire un. T'es une fille super, Aurélie.

Moi (irritée) : Je n'en veux pas, c'est beau. Je n'ai pas absolument besoin d'un chum. Avant toi, je trouvais tous les gars niaiseux ! Fait que je ne cours pas après ça. Si le bon gars (non dit : toi) voulait être mon chum, j'en voudrais un. Mais je n'ai pas besoin de me *matcher* avec n'importe qui (non dit : comme toi avec ta nouvelle blonde) juste pour avoir un chum.

18 h

Dans la douche, très enragée, en train de me laver frénétiquement les cheveux (du moins, ce qu'il reste sur ma tête après les avoir arrachés), je me répète : « Le chocolat n'est que du dessert, le chocolat n'est que du dessert. »

Aujourd'hui, après ma rencontre avec Nicolas

J'ai couru chez Kat pour lui dire que si sa sœur était une fourmi, je l'écraserais sans aucun scrupule, même si, cet été, j'ai développé une certaine sensibilité envers cette sorte d'insectes. Mais Julyanne. Julyanne ! Oh, Julyanne ! Heureusement, vraiment, que je ne possède aucun pouvoir paranormal, comme la pyromanie oculaire, parce que je ne sais pas ce que j'aurais pu lui faire, malgré le fait qu'elle soit la sœur de ma meilleure amie. Kat m'a simplement dit : « Vas-tu arrêter de la défendre, maintenant ? »

Comment elle a su pour Gab ? Elle a écouté au téléphone ! Kat et moi avons pogné Julyanne dans un coin pour qu'elle nous dise ce qu'elle avait dit exactement à Nicolas. Julyanne a juré qu'elle faisait ça pour me défendre. Qu'elle avait vu Nicolas parler avec une autre fille et, quand l'autre fille était partie, elle était allée lui dire que moi aussi j'avais un chum pour que j'aie l'air plus *hot*, comme le suggérait l'article du *Miss*, « Comment le reconquérir ».

En passant, le *Miss* ne suggère pas que la petite sœur de votre meilleure amie écoute toutes vos conversations et invente des rumeurs à votre sujet !

OK, elle avait une bonne intention. Ce n'est pas une mauvaise fille. Mais j'avais une minichance de ressortir avec Nicolas. NICOLAS ! Et elle a gâché ma chance. GÂCHÉ ! Julyanne a commencé à pleurer (très bébé) et elle nous a promis qu'elle n'écouterait plus au téléphone. Et je suis revenue chez moi (très frue) pour me laver les cheveux.

Retour à ma douche, toujours en train de me laver frénétiquement les cheveux

Arrrrrrrggghhhh! Je crie en sautillant sur place tellement j'ai du mal à contenir ma colère. Bon, calmons-nous. Je pourrais glisser, me casser une jambe ou un bras, et me retrouver à l'hôpital. Et je ne recevrais pas de carte de souhaits disant: « Prompt rétablissement, mon amour » de la part de Nicolas parce qu'il a maintenant une autre blonde À CAUSE DE J U L Y A N N E ! ARRRRRRRRRGGGGGGHHHHH !!!!!!!!!!!!

18 h 10

Je manque de vocabulaire pour exprimer ma colère. Mon corps demande grâce.

18 h 12

Il faut que je respire par le nez. Ah-fu, ah-fu. Ahhhhhhhhhh! Gloup-gloup! Tousse-tousse!

Note à moi-même : En présence d'eau, il est préférable de rester frue. Retrouver sa zénitude dans la douche est impossible. De l'eau peut entrer par votre nez et se retrouver dans vos poumons. Bref, gros risque de noyade (très peu relaxant).

Avis d'intérêt public à la terre entière : SON BONHOMME SOURIRE SIGNIFIAIT RÉELLEMENT QU'IL VOULAIT REPRENDRE AVEC MOI, BON !

Jeudi 17 août

Bon, tout n'est pas perdu. Je vais relire attentivement l'article du *Miss*, « Comment le reconquérir », il y a sûrement quelque chose qui m'a échappé.

13 h 14

Dire la vérité ! Voici ce que j'avais oublié comme truc dans l'article. Je vais l'appeler. Tout lui dire. Essayer d'arranger les choses.

13 h 15

Ou me pincer ? Et me réveiller juste avant de le revoir à l'animalerie ? Ah oui ! Tout n'est peut-être qu'un cauchemar ! Bon plan !

13 h 16

Ouch. 1) Se pincer fait mal et 2) si on le fait plusieurs fois de suite, la peau se couvre de rougeurs et on peut avoir l'air de faire une crise d'urticaire.

15 h 25

À l'arcade avec Kat, en train de danser sur le *Dance Dance Revolution*.

Comme il n'y a personne à cause du beau temps, Kat en profite pour m'aider à m'améliorer. On rit et on réussit presque une chorégraphie ensemble ! Pendant un moment, j'ai oublié mes soucis.

Nous avons décidé de venir passer le temps ici après que j'ai appelé Kat pour lui demander de m'aider à élaborer un nouveau plan de reconquête, et qu'elle m'a répondu texto d'arrêter de penser à Nicolas, que j'avais toujours eu mieux à faire que d'obséder sur les gars. J'avais envie de lui répondre par plein d'onomatopées allant de pfff à tsss, en passant par humph, mais je dois admettre qu'elle marquait un bon point.

15 h 45

On a remis d'autres jetons pour une nouvelle partie de *Dance Dance*, même si on était essoufflées.

Pendant qu'on dansait, j'ai demandé à Kat si elle avait besoin de se défouler, elle aussi, par rapport à Truch. Elle m'a répondu que tout ce qui lui restait de minifond d'amour pour lui était tout effacé, maintenant. Puis, elle a ajouté que cet été, ils s'étaient envoyé quelques courriels amicaux (ce qui m'a surprise, car je l'ignorais), mais que leur correspondance s'était peu à peu espacée.

J'ai arrêté de suivre les pas net, même si la musique continuait, et j'ai dit :

– Pourquoi tu ne me l'as pas dit ?

Kat : Je n'y ai pas pensé.

Moi : Ben làààààààà !

Kat (en continuant de danser) : J'avais peur que tu me juges…

L'écran du *Dance Dance* m'avertit que je perds des points.

Moi : Moi ?!?

Kat : Ben… je le sais que tu ne l'as jamais aimé.

Moi : Mais non, je l'adore !

Bon, peut-être que j'exagère un tout petit peu.

Kat : Ce n'est plus important maintenant parce que c'est définitivement fini. C'est Roscoe, mon nouvel amour ! Je suis quand même contente qu'il n'y ait pas de chicane entre nous, vu qu'on va peut-être aller à la même école l'an prochain.

Moi : Cool, mais… pas rapport avec ton affaire d'école.

Et *là*, j'ai ajouté tous les pfff, tsss et humph qui s'imposaient, avant de recommencer à suivre les pas imposés par le *Dance Dance.*

Vendredi 18 août

Réunion au sommet avec Kat pour choisir notre nouvelle école au cas où (et c'est seulement une mesure préventive) notre école fermerait.

C'est Kat qui a insisté pour qu'on ait un plan B, car je persiste à dire qu'à la rentrée nous irons à notre école, comme prévu.

Le monde m'énerve solide avec leur pessimisme ! Notre école ne fermera pas : c'est im-pos-si-ble !

Kat veut aller au public, je veux continuer au privé. (Si je vais au public, je vais être obligée de croiser Nicolas et sa blonde tous les jours et j'aimerais éviter !)

Kat : Ma mère m'a envoyée à notre école parce qu'elle y est allée et qu'elle y est attachée. Mais elle n'éprouve pas d'attachement pour l'autre collège. C'est ma porte de sortie ! Moi, je veux aller dans une école où il y a des gars et où je peux m'habiller comme je veux !

Moi : C'est moins compliqué, l'uniforme ! On n'a pas à se casser la tête ! Et les gars, qu'est-ce qu'ils nous ont apporté, les gars, à part des problèmes ?

Kat : Si je n'étais pas sortie avec Truch, on n'aurait pas cassé et je n'aurais pas découvert ma passion pour les chevaux et j'aurais passé l'été toute seule parce que t'aurais été chez ta grand-mère.

Bon point. Très bouche bée.

Moi : Bon, ben on fait un deux de trois de roche-papier-ciseau, d'abord ?

Kat : OK.

15 h 16

Premier tour.

Kat et moi (la main derrière le dos) : Roche-papier-ciseau !

J'ai fait ciseau. Kat, roche.

Kat gagne. Elle a tapé mes doigts en forme de ciseau avec sa main en forme de roche.

15 h 17

Deuxième tour.

Kat et moi (la main derrière le dos) : Roche-papier-ciseau !

Kat a fait roche (prévisible), c'est pour ça que j'ai fait papier.

Je gagne. J'ai enrobé sa main en forme de roche avec ma main en forme de papier.

15 h 18

Troisième tour.

Kat et moi (la main derrière le dos) : Roche-papier-ciseau !

J'ai fait papier, Kat a fait ciseau.

Kat gagne. Elle a fait semblant de couper ma main en forme de papier avec ses doigts en ciseaux.

Elle a gagné et nous irons au public SI et seulement SI l'école ferme.

Samedi 19 août

Ma mère et moi sommes à l'épicerie. Elle pousse le chariot et me demande ce que j'ai envie de manger DURANT LA PROCHAINE SEMAINE ! Tssss ! Elle capote solide ! Comment veut-elle que je le sache ? Je ne sais pas ce que j'aurai envie de manger dans trois jours, moi, je ne suis pas devin ! Alors, je réponds :

– Du gâteau au chocolat.

Car c'est sûr que ça, j'aurai envie d'en manger tous les jours (par plaisir, strictement par plaisir, et non plus pour « manger mes émotions », comme me l'a fait remarquer ma grand-mère).

Ma mère : Tu ne peux pas manger du gâteau au chocolat comme repas. Ça prend des protéines, des légumes, des fruits…

Moi : Ben pourquoi tu me demandes ce que je veux d'abord, si tu le sais déjà ? (Tsss, tsss, tsss.)

En avançant dans les allées, on aperçoit monsieur Beaulieu, habillé assez relax, avec une chemise à manches courtes et en bermuda beige. Il est plus loin que nous, au comptoir des viandes, et tient un petit panier d'épicerie dans sa main gauche. Ma mère me dit :

– Va lui dire bonjour.

Moi : Non !

Ma mère me pousse un peu en disant :

– Vas-y !

Moi : Non, bon, je suis gênée ! Laisse-moi tranquille !

Ma mère (en levant la main) : Monsieur Beaulieu !

Elle approche notre panier de lui. J'émets un faible « allô » en regardant par terre.

Monsieur Beaulieu : Et puis, Aurélie, à quelle école iras-tu l'an prochain ?

Moi : À mon école !

Monsieur Beaulieu : Hum… Je crois qu'il va falloir que tu t'inscrives vite dans une autre école.

Ma mère : Je l'ai déjà inscrite à l'école privée dont vous parliez dans votre lettre.

Je regarde vivement ma mère, un peu surprise.

Moi : Mais… la manifestation pour sauver l'école ?

Monsieur Beaulieu : C'était une belle initiative… ça n'a malheureusement pas été suffisant. J'ai envoyé une lettre à tout le monde à ce sujet, tu ne l'as pas reçue ?

Ma mère : Excuse-moi, ma belle, je l'ai reçue hier, ça m'est sorti de la tête.

Monsieur Beaulieu : J'ai tout essayé, cette année. J'ai travaillé fort pour obtenir des subventions. J'ai même essayé de proposer que l'école soit mixte. Mais… il y a des choses sur lesquelles on n'a pas de contrôle. Il y a déjà des acheteurs intéressés. Je crois qu'ils veulent en faire des condos.

Moi : Des condos ?!?

Monsieur Beaulieu : Aurélie, je veux que tu me promettes que tu vas continuer à travailler fort.

Ma mère : Elle n'a pas le choix, avec les notes qu'elle a obtenues.

Je regarde ma mère et j'ai envie de lui piler sur le pied assez fort pour qu'elle ait besoin de marcher avec des béquilles pour au moins deux semaines (mais je contiens mon élan de violence total inapproprié).

Monsieur Beaulieu: Aurélie, on n'obtient rien sans travail, même si on est très intelligente comme toi. J'ai très confiance en ton avenir, en autant que tu t'y mettes. Promis?

Moi: Ouain... Techniquement, je suis encore en vacances, alors parler de l'école, là... Feh!

Ma mère (qui me coupe, car elle semble mal à l'aise de ce que je viens de dire): Haha! euh... monsieur Beaulieu, qu'allez-vous faire, vous?

Monsieur Beaulieu: Je vais enseigner la littérature au cégep. Je retourne à ma première passion.

Ma mère: Merci d'avoir eu une bonne influence sur ma fille.

14 h

Dans l'auto, avec ma mère.

Moi: Merci d'avoir eu une bonne influence sur ma fille?

Ma mère: Ben quoi? Il a eu une bonne influence sur toi.

Moi: Il me mettait toujours en retenue! Il ne voyait que le chapeau sur la table et tout, tu te souviens? C'est toi qui l'as dit!

Ma mère: Cet homme-là croyait en toi. Il a essayé de t'encadrer. T'sais, Aurélie, nos ennemis ne sont pas toujours ceux qu'on pense.

Moi: Je n'ai jamais dit que c'était mon ennemi, rapport?!?

14 h 15

Après quelques minutes de silence, ma mère stationne l'auto devant chez nous et j'en profite pour lui dire:

– En passant, Kat et moi avons décidé d'aller à l'école publique. Il faudrait que t'annules mon inscription à l'autre école.

Ma mère: C'est Kat qui a décidé ça?

On sort de la voiture et on se dirige vers la maison en portant nos sacs.

Moi: En partie…

Ma mère: Si Kat saute dans la rivière, vas-tu sauter toi aussi?

Moi: Ben… ça dépend.

On entre et on dépose nos sacs sur le comptoir de la cuisine.

Ma mère: Ça dépend?!? Ce n'est pas la réponse que j'attendais. Tu m'inquiètes. Ça dépend de quoi au juste?

Moi: Ben… je ne sais pas, moi, s'il fait super chaud, style canicule, je ne vois pas pourquoi je ne sauterais pas dans la rivière, moi aussi, t'sais, pour me rafraîchir.

Ma mère: Bon, bon, bon. Tu ris de moi, là?

Moi: Non, je suis juste logique.

Ma mère: Écoute, Aurélie, tes notes ne sont pas très bonnes, tu as besoin d'encadrement et tu en auras plus au privé.

Moi: Mais je ne verrai pas Kat!

Ma mère: Tu la verras après l'école!

Moi: Ça ne sera pas pareil!

Ma mère: Kat n'a pas une bonne influence sur toi. Avant de la connaître, tu avais de meilleurs résultats!

Moi: ÇA N'A AUCUN RAPPORT!

Ma mère: Écoute, je pense que ce serait mieux qu'on continue au privé.

Moi: Que JE continue au privé. Toi, TU travailles! C'est moi qui voulais aller au privé au début. Toi, tu n'y avais même pas pensé! Alors, j'ai le droit de changer si je veux!

Ma mère: Justement, c'est toi qui as voulu y aller! Tu vas y rester parce que tes notes sont faibles!

Moi: De toute façon, ils disent que c'est une erreur de croire qu'au privé il y a plus d'encadrement, il paraît qu'il y en a autant au public!

Ma mère: Qui a dit ça?

Moi: L'autre jour, aux nouvelles!

Ma mère: De toute façon, Aurélie, ma décision est prise. Compte tenu de tes notes actuelles, tu vas aller au privé. Et tu es déjà inscrite. Point final.

Moi: T'AVAIS PAS D'AFFAIRE À M'INSCRIRE DANS UNE ÉCOLE SANS M'EN PARLER! C'EST *MA* VIE! C'EST *MOI* QUI DÉCIDE!

Le ton, qui avait commencé à monter, s'était accru de plusieurs décibels quand finalement, après que j'ai dit quelque chose que j'ai oublié (c'était peut-être « je me fous de ce que tu penses »), ma mère m'a crié:

– VA DANS TA CHAMBRE!

Moi: Je m'en fous d'aller dans ma chambre! C'est mon endroit préféré de toute la maison!

Ma mère: Ben j'espère! Parce que tu vas y rester longtemps!

Moi: TANT MIEUX!

Je cours dans ma chambre et je claque la porte. Tout à coup, j'entends gratter et je crois que c'est ma mère qui revient pour s'excuser, mais la porte s'ouvre et il n'y a personne. Je baisse les yeux et je vois Sybil qui réussit à ouvrir la porte avec sa patte. Je la prends dans mes bras et je me blottis contre elle.

20 h

Être séparée de Kat... Autant dire la fin de mon existence, oui! Carrément. Aller à l'école sera comme aller en prison. Je vais compter les jours et faire un trait sur le calendrier pour chaque journée passée. Kat et moi allons vivre des choses séparément, comme cet été. Et seulement s'envoyer de petits courriels superficiels! En la revoyant l'autre jour, je me suis demandé comment j'avais fait pour passer tout ce temps sans elle, sans savoir ce qui arrivait vraiment dans sa vie. Ça nous a pris des heures et des heures pour tout récapituler. Je ne savais même pas qu'elle avait écrit à Truch! En plus, je suis totale remplaçable! Faute d'amis humains, Kat m'a remplacée par UN CHEVAL!!! Si elle a été capable de me remplacer par un cheval, elle serait bien capable de me remplacer par la première amie potentielle pas trop pire. (OK, j'exagère pour ajouter à mon drame, mais c'est un peu vrai pareil.) Alors, si on va dans des écoles différentes, ce sera comme Gabriel a dit: on se contactera au début, puis, peu à peu, on se fera d'autres amies et on s'oubliera. Est-ce que je suis encore amie avec les gens avec qui j'allais à l'école primaire que je n'ai pas revus depuis mon entrée au secondaire? Non. Je n'avais pas de bonne amie comme Kat, mais quand même. C'est la preuve qui prouve que j'ai raison. La preuve qui prouve… Ça me fait penser à sœur Rose. À mon école. À mon école qui ferme. Je ne comprends pas. Je ne comprends pas pourquoi. Monsieur Beaulieu. Tout ce qu'il m'a dit. Je me mets à pleurer et mes larmes mouillent le poil de Sybil qui ronronne.

21 h 15

Si mon père était là, il aurait fait entendre raison à ma mère ! Et il serait venu me voir après pour me dire qu'il avait convaincu ma mère de m'envoyer à l'école de mon choix. Mais il n'est plus là. Je suis toute seule. Avec elle. Sans allié. Ma seule alliée, c'est Sybil, mais si je l'envoyais dire « miaow, miaow, miaow » à ma mère, elle ne comprendrait pas que ça veut dire « Laisse Aurélie aller à l'école de son choix », parce qu'elle ne comprend pas le langage des chats. (Zéro bilingue !)

21 h 21

Je n'en reviens pas que ça n'ait pas fonctionné, ma manifestation ! Pourtant, je l'ai organisée avec conviction, j'ai préparé des pancartes, j'y ai vraiment cru. Si j'étais dans un film et que j'étais, disons, Lyndsay Lohan, c'est clair que mon école n'aurait pas fermé. La passe des pancartes, ç'aurait été comme un montage très serré, avec une musique dynamique. On aurait vu Gabriel me montrer les cartons, m'aider à les monter sur des bâtons. On l'aurait vu me mettre du crayon feutre sur le nez et éclater de rire. (Ce bout particulier aurait été inventé par les scénaristes exprès pour le montage, car ce n'est pas arrivé dans la vraie vie.) Ensuite, on aurait vu la manifestation, sur fond de musique énergique. En manchette, on aurait annoncé : « Une étudiante sauve son école », au lieu de me voir dire des niaiseries avec une face de chevreuil à la télé. Et, le premier jour de la rentrée, Nicolas serait venu me voir à l'école, m'aurait prise (moi, toujours interprétée par Lyndsay Lohan) dans ses bras en me faisant tournoyer et m'aurait dit (en français international) : « Bravo d'avoir sauvé ton école, tu es une fille gééééniale ! » Il m'aurait embrassée, et il y aurait eu un fondu au noir et le générique serait apparu en même temps qu'une chanson touchante.

POURQUOI CE N'EST PAS ÇA QUI ARRIVE DANS LA VRAIE VIE ET QUE, DANS LA VRAIE VIE, JE N'ABOUTIS À RIEN D'AUTRE QU'À M'ENGUEULER AVEC MA MÈRE ?!!!!!!

21 h 23

Je joue avec Sybil qui arrive à me faire rire en sautant sur ma ceinture de robe de chambre. Ma mère cogne à ma porte. Je reprends un air fru. Elle entre et s'avance vers mon lit, et plus elle s'avance, plus je fronce les sourcils pour lui montrer que je suis en guerre contre elle et qu'il n'y a aucune ambiguïté possible à ce sujet, même si elle est ma mère et qu'en théorie je devrais lui vouer un amour inconditionnel.

Elle s'assoit sur mon lit, près de moi.

Ma mère (après un soupir) : On s'est un peu emportées.

Je ne dis rien.

Ma mère : J'ai beaucoup réfléchi et… je vais te laisser aller à l'école de ton choix.

Je la regarde, perplexe.

Ma mère : Tu n'es pas contente ?

Moi : Oui, mais…

Ma mère : Je ne veux pas te séparer de ton amie, mais par contre…

Je lui saute au cou en criant :

– Merci, merci, merci, merciiiiiiiii !!!!!

Ma mère : Attends, je n'ai pas fini. Tu dois me promettre d'avoir un comportement exemplaire.

Moi : Promis !

Ma mère : Je ne veux pas que ton nouveau directeur m'appelle toutes les semaines, compris ?

Moi : Mais…

Ma mère : Pas de mais.

Moi : Oui, mais… si jamais je suis témoin, disons, d'une injustice ?

Ma mère : Ex-em-plaire. On s'entend ?

Moi : Oui, oui…

Ma mère : Des notes plus élevées que celles des deux dernières années. Je veux que tu te forces et que tu travailles fort.

Moi : OK.

Ma mère : Bon. J'appelle dès demain pour finaliser ton inscription.

Elle se lève et se dirige vers ma porte de chambre.

Moi : Maman ?

Elle se retourne en disant :

– Oui ?

Moi : Merci…

Ma mère : De rien.

Elle continue de s'avancer vers la porte.

Moi : Maman ?

Elle se retourne en disant :

– Quoi ?

Moi : Je m'excuse pour ce que j'ai dit…

Ma mère : Je m'excuse, moi aussi, pour ce que j'ai dit au sujet de tes notes. C'est parce que je sais que tu peux faire mieux.

Moi : Je sais…

Elle fait un autre pas vers la porte.

Moi : Maman ?

Elle se retourne une fois de plus en disant :

– Oui, Aurélie ?

Moi : Je t'aime… Je me suis ennuyée de toi… cet été.

Ma mère : Moi aussi, ma pu… ma belle.

Elle ouvre ma porte et je dis :

– Maman ?

Elle se retourne en riant.

Moi : Qu'est-ce qui t'a fait changer d'idée ?

Ma mère : François m'a dit que c'était vrai que le public était aussi bien que le privé. Et… je ne veux pas être celle qui te sépare de ta *best*. Hein ? Je suis peut-être fatiguée, à cause du voyage, du retour au travail et tout. Je ne pense plus clairement. J'ai peut-être réagi trop vite. (Puis, elle vient me donner un bisou sur la tête.) Allez, dors bien, maintenant.

Fwiiiiit ! (Bruit de trompette pendant que mon menton descend jusqu'au sol, frappé de stupeur.)

Jeudi 24 août

Dimanche, j'ai pris la boîte de vieux jouets que j'avais rangée dans ma garde-robe et je l'ai remise à ma mère pour qu'elle la donne à un organisme de charité. Cet été, j'avais oublié que ces choses existaient. Et puis, par-dessus tout, je me suis sentie nounoune d'être autant influencée par un film d'animation carrément fictif et impossible ! (Je me suis quand même excusée aux jouets dans ma boîte, juste au cas où il y avait une infime, ne serait-ce que mini mini, possibilité que mes jouets soient dotés d'une conscience et qu'ils soient frus.)

Ensuite, j'ai suivi le conseil de Kat et j'ai brûlé quelque chose qui me faisait penser à Nicolas (un emballage de gomme au melon) dans son foyer.

Après ce rituel, nous avons appelé Tommy pour lui dire qu'on irait à la même école que lui, et il semblait content parce que, même s'il n'est pas du genre super-expressif, il nous a lancé un « C'est wak ! » très senti.

Kat et moi avons également réglé nos montres pour qu'elles sonnent chaque jour à 11 h 11, afin que nous puissions souhaiter être dans la même classe à notre nouvelle école. J'ai ajouté que je n'aimerais pas être dans la même classe que Nicolas, ni dans celle de sa nouvelle blonde, mais que c'était facultatif si les forces de 11 h 11 ne pouvaient réaliser qu'un seul souhait (le souhait prioritaire étant que je sois dans la même classe que Kat, on ne peut jamais être assez précis, j'en sais quelque chose depuis l'épisode « quasi-véritable-plonge dans le chocolat et « fermeture-de-mon-école-pour-passer-incognito-quand-je-vomis »).

Et, question de donner un petit coup de pouce au destin, j'ai demandé à ma mère d'appeler la nouvelle école pour leur demander s'il était possible – peut-être, s'ils sont vraiment gentils, mais on ne veut surtout pas les déranger, on le demande juste comme ça – de nous mettre dans la même classe, Kat et moi, vu que c'est traumatisant de changer d'école et tout et tout. Après plusieurs « s'il vous plaît, je vais faire tout ce que tu veux », ma mère a accepté. J'étais à côté d'elle quand elle a appelé, tous mes doigts rassemblés pour former des X. Pendant qu'elle parlait, je lui lançais des idées pour les convaincre : « Dis-leur qu'on est amies depuis longtemps. Dis-leur qu'on ne dérangera pas la classe. Dis-leur que c'est traumatisant de changer d'école ! » Ma mère me faisait signe de me taire parce qu'elle entendait mal. Quand elle a raccroché, j'ai dit :

– Qu'est-ce qu'ils ont dit ? Qu'est-ce qu'ils ont dit ?

Ma mère : Tout est déterminé par informatique. Ils vont voir ce qu'ils peuvent faire.

Puis, dans un pur élan d'altruisme, Kat et moi avons décidé de nous réconcilier avec Julyanne, qui passait tout son temps dans sa chambre avec Caprice. Nous l'avons tout de même avertie que nous aimerions avoir nos secrets. On s'est aussi inventé une poignée de main cool et elle avait l'air contente. Nous tenions à faire la paix parce que 1) Kat doit la voir tous les jours et qu'elle trouvait fatigant de se faire traiter de terroriste, 2) je vois Kat tous les jours et je trouvais fatigant d'être affublée du même surnom, et 3) karmiquement parlant, on croyait qu'il valait mieux mettre toutes les chances de notre côté si on voulait que notre souhait se réalise.

Vendredi 25 août

Kat et moi sommes assises sur le balcon, chez elle, devant sa boîte aux lettres, comme tous les jours cette semaine, et on attend le facteur.

15 h 23

Le facteur nous a remis le courrier. Quand on a vu qu'il y avait une lettre de l'école, Kat ne l'a pas ouverte, et on a couru jusque chez moi pour aller chercher ma lettre et l'ouvrir en même temps.

16 h 16

Kat et moi sautons en criant ! Nous sommes ensemble dans TOUS LES COURS ! WOU-HOUUUUUUUUUUUUUUUU !!!!!!!!!!!!!!!!
AAAAAAAHHHHHHHHHH !!!!!!!

– Qu'est-ce que vous avez à crier de même ?

On arrête de sauter, on se retourne et on voit Tommy qui s'avance vers nous. On court à sa rencontre.

Kat et moi : Tommyyyyyyyyyyyy !!!!!!!!!!!!!!!

On lui saute dessus et on recommence à crier en lui montrant notre horaire :

– AAAAAAAHHHHHHHH ! ON EST ENSEMBLE DANS NOS COURS !!!!!!!!!!! AAAAAHHHHHHH !!!!!!!!!!!!!!!

Il saute en tapant des mains pour nous imiter (et rire de nous, je crois, mais c'est peut-être aussi par pure excitation, je ne voudrais pas avoir l'air totale parano), puis il prend l'horaire de Kat, y jette un coup d'œil et dit :

– Hmmm… je ne suis pas dans votre groupe. Oh ! vous avez monsieur Létourneau en histoire. Vous allez voir, toutes les filles tripent dessus !

Moi : T'es arrivé quand ?

Tommy : Je viens d'arriver, il y a dix minutes. Ça n'a pas pris de temps avant que je vous entende crier !

Kat et moi, on s'est regardées et on a ri avec Tommy. Maintenant que j'ai passé tout un été sans lui, je réalise que, même s'il m'énerve parfois, je suis bien contente qu'il soit mon ami/voisin. Je le lui ai dit et il m'a répondu : « Bon Laf, calme tes hormones ! » (Ce qui confirme la partie où je dis qu'il m'énerve.)

20 h

Je suis en feu !

Depuis le départ de Kat et de Tommy, je fais du *air guitar* dans ma chambre en écoutant l'album de Billy Talent à répétition, super fort. (Bon, super fort, c'est relatif, compte tenu du fait que ma mère est venue me dire trois fois de baisser le son…) Je me suis inventé toute une chorégraphie très « rock star » où le lit représente ma scène, et le plancher, la foule. Parfois, je saute en bas de mon lit pour aller faire des *air solos* dans la foule invisible.

Même si c'est de la musique assez, disons, dynamique, j'ai l'impression que ça me calme les nerfs.

20 h 23

Un peu essoufflée, je m'étends sur mon lit en empoignant la photo que ma mère a prise de Tommy, Kat et moi avant notre party, au début de l'été, et je me dis que, ironiquement, je suis assez contente de mon sort. Amenez-en ! Je suis capable d'en prendre ! Ben… peut-être pas autant que ça, quand même. (*Chers 11 h 11, étoile filante ou Dieu, ceci n'était pas un souhait, héhé !*)

Mais, bon. Ma grand-mère avait raison (même si sa métaphore est totale quétaine). Au moment où les canards migreront vers un autre pays, je migrerai vers une autre école. En regardant la photo, je réfléchis et je conclus que plusieurs choses resteront toujours pareilles. Kat poursuivra l'équitation parce qu'elle aime les chevaux, Tommy continuera d'en manger, ma mère trouvera encore que ma chambre n'est pas assez propre à son goût, et pour ma part, quoi que je fasse, j'aimerai toujours le chocolat (en dessert)... Bref, la Terre va continuer de tourner.

Mais, au fond de moi, j'ai la nette impression que tout va changer.

La production du titre *Le journal d'Aurélie Laflamme, Un été chez ma grand-mère* sur 13,242 lb de papier Rolland Enviro100 Édition plutôt que sur du papier vierge aide l'environnement des façons suivantes :

Arbres sauvés : 113
Évite la production de déchets solides de 3 244 kg
Réduit la quantité d'eau utilisée de 306 897 L
Réduit les matières en suspension dans l'eau de 20,5 kg
Réduit les émissions atmosphériques de 7 124 kg
Réduit la consommation de gaz naturel de 463 m^3

Imprimé sur du Rolland Enviro100, contenant 100% de fibres recyclées postconsommation, certifié Éco-Logo, Procédé sans chlore, FSC Recyclé et fabriqué à partir d'énergie biogaz.